2024年版 1級 2級

電気通信工事施工管理技士 突破攻略

高橋英樹 著

技術評論社

2024年版 1級 2級 管 2次検定
電気通信工事施工管理技士 突破攻略

目次：CONTENTS

6章　安全管理用語　2級のみ

7章　用語記述

8章　法令理解

【COLUMN】

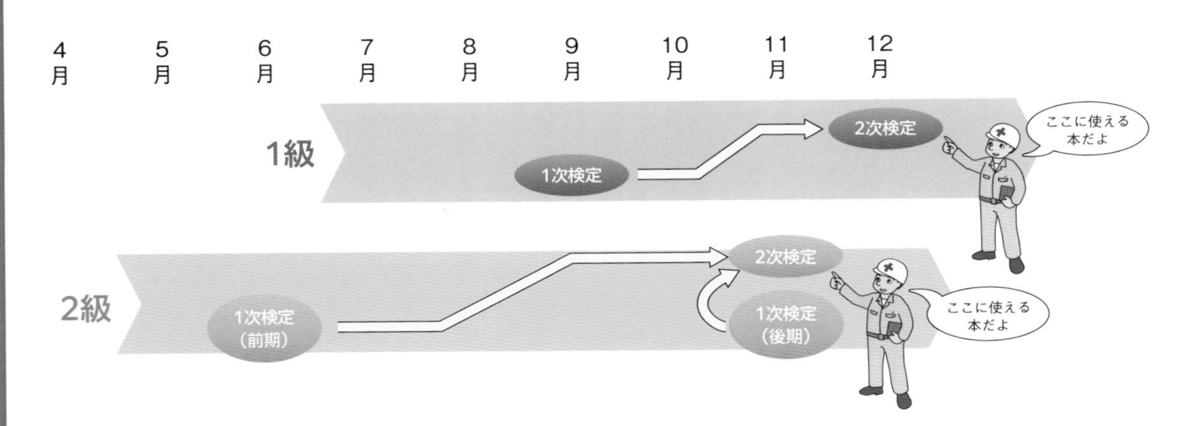

合格のみを目的に

講習会で教えていると、資格試験を受験される予定の受講生さんから、よくこのような声が聞かれます。「試験のための勉強を進めることで、現場で通用する技術スキルを合わせて高めたい」。

志も高く、一見もっともらしいご決意のようにも聞こえます。しかし志とは裏腹に、これは実態から大幅にズレた考え方なのです。残念ながら、資格試験のための勉強は、技術スキルと同じ方向の軸上にはありません。この両者は、ほとんど相関性がないほどに離れています。

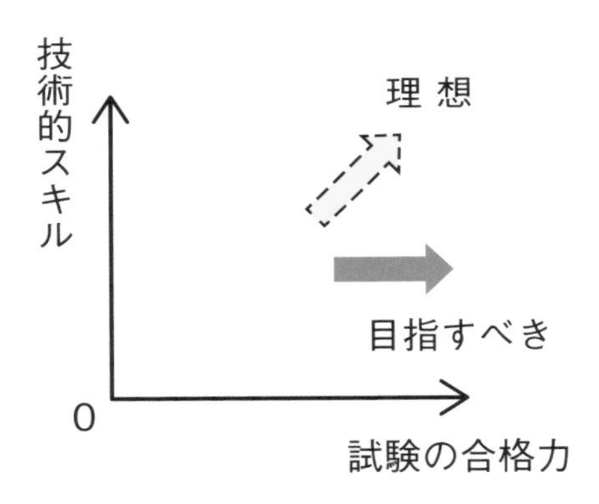

もちろん、理想としてはこの両者を同時に高められれば、それに越したことはありません。ところが現実に目を戻してみますと、みなさんより現場経験の長い先輩方が、いつまでも合格できないのはなぜでしょうか？　それは、これら両者には相関性がないからなのです。

紙面の都合もあるので結論だけを端的に申し上げますが、資格試験の勉強を進めても、現場で通用する技術的スキルはほとんど高まりません。逆に技術スキルを高めても、試験での合格には近づきません。この両者は似てはいるものの、異なる文化であるといってよいでしょう。

ですから試験日までのカウントダウンが始まった現在は、技術スキルを高める活動は一旦休止しましょう。今やるべきは、「合格のための勉強」に集中することです。合格のみを目的とした勉強とは、「点を取るテクニック」を習得することに他なりません。

●講習会併用でさらなる補強を狙う

この本をキッチリ勉強すれば、A評定が見えてきます。A評定とは、2次検定の全体として60％以上の得点を確保できた状態で、すなわち合格ライン到達を意味します。

しかし、それでは物足りない部分があるのも事実です。この2次検定のように記述式・論述式の場合は、紙面だけの表現方法では伝えきれない難しさがあります。

そのためにも講習会を受講して、熱意のある講師の奥義を授かる方法もあります。紙面だけでは表現できないコンテンツを躍動的に吸収することは、非常に有意義といえるでしょう。

これまで多岐にわたる講習会を展開してきた著者のさまざまなノウハウ……得点の取り方、やってはいけない勉強法、禁断のNGワード、本には書けない裏ワザ等は講習会でしか聞けません。是非「のぞみテクノロジー」のサイト（下記）で概要をご確認ください。

https://www.nozomi.pw/

最後に、本書で皆様の学習が大きく進むこと、そして見事2次検定に合格されることを心よりお祈り申し上げます。

令和6年7月

のぞみテクノロジー　高橋英樹

2次検定の構造

それでは、2次検定にて出題される問題の、具体的な内容を掘り下げていきます。下表は、前年（令和5年）までに行われた1級と2級の2次検定の設問項目です。

2級の問題3で出題されているもののうち、「安全管理用語」は1級では出題されません。これは2級だけの設問です。それ以外は、全体的な流れは両級でほぼ似ているといえます。

<table>
<tr><th colspan="2">1級・2級　2次検定</th></tr>
<tr><th>1級</th><th>2級</th></tr>
<tr><td>問題 1
・施工経験記述</td><td>問題 1
・施工経験記述</td></tr>
<tr><td>問題 2
・施工管理留意事項
・JIS記号
・施工技術応用（※対策は困難）</td><td>問題 2
・施工管理留意事項
・JIS記号
・施工技術応用（※対策は困難）</td></tr>
<tr><td>問題 3
・ネットワーク工程表</td><td rowspan="2">問題 3
・ネットワーク工程表
　または
・労働災害防止対策
　または
・安全管理用語（2級のみ）</td></tr>
<tr><td>問題 4
・労働災害防止対策</td></tr>
<tr><td>問題 5
・用語記述</td><td>問題 4
・用語記述</td></tr>
<tr><td>問題 6
・法令理解</td><td>問題 5
・法令理解</td></tr>
</table>

1級と2級とで設問の内容が似ているならば、両級の差はどこにあるのでしょうか。1級のほうが上級ですから、当然に難易度は高いはずです。学習を進めていくにあたり、この難易度の違いは把握していたほうが好ましいです。

その差は「解答すべき問題の量」にあります。具体的には後述の各章の説明欄に記載していますが、1級のほうが解答すべき問題の量が多めに設定されています。あるいは「法令理解」の分野では、1級では選択肢が与えられずに、完全に自力で解答しなければならない等の違いがあります。

本年の2次検定も、概ねこの形での出題が踏襲されるものと推定されます。

●検定問題攻略のポイント●

●最優先は施工経験記述

2次検定のハイライトは、何といっても施工経験記述問題です。もっと現実的な表現をしますと、2次検定はこの施工経験記述を審査するための試験といっても過言ではありません。少なくとも施工経験記述問題が合格水準に到達していないと、他の設問は採点が行われません。したがって、不合格となります。

つまり施工経験記述を苦手としている場合に、これの不足分を他の設問で補うことができません。2次検定に立ち向かうにあたっては、他の問題よりも優先して、施工経験記述問題だけは一歩も二歩も踏み込んだ学習が必要となってきます。

イメージとしては2次検定が二層に分かれていて、施工経験記述が合格できた上で、はじめて他の設問を得点する権利を得られる、といったニュアンスが実態です。ですから1次検定を含めて考えますと、施工管理技術検定試験は以下のような三層構造になっているとも解釈できます。

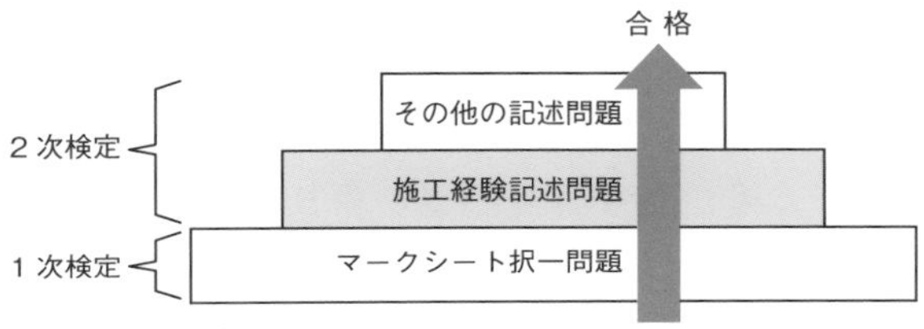

これらは下から順にクリアしていかないと、上の層に参加する権利が与えられないような構造になっています。3つの層の各々で、合格水準である60%の正答に達しなければなりません。

これを見ても、施工経験記述問題がいかに重要なウエイトを占めているかが、理解できると思います。まずはとにかく、施工経験記述を軸に据えた学習計画を立てましょう。

●各設問のポイント

とはいえ、施工経験記述問題以外の設問を軽視してよいわけではありません。これらの問題も含めて、2次検定全体で合格水準である60%の正答を確保しなければなりません。マークシート形式である1次検定と比較しますと、2次検定は記述形式で解答する設問が多く、より難易度が高いものとなっています。

しかし過去問題は昨年までの5回分しかなく、どのように勉強を進めてよいか、つかみどころがないのが実態です。そのような中で本書は、既に実施された過去問題と、他の施工管理技術検定とを総合的に俯瞰して、戦略的な学習を行えるように工夫しました。

以下に、各設問群に対して学習を進める上でのポイントを示します。

1級	設問項目	2級
最重要、かつ最優先	施工経験記述	最重要、かつ最優先
過去問題からの出題が多い	施工管理留意事項	過去問題からの出題が多い
1次検定の過去問題に注目	JIS記号	広く浅く攻めよう
対策は困難	施工技術応用	対策は困難
苦手な人は早めに着手	ネットワーク工程表	苦手な人は早めに着手
過去問題からの出題が多い	労働災害防止対策	過去問題からの出題が多い
(2級のみ)	安全管理用語	取り組みやすい
得意分野を中心に学習	用語記述	得意分野を中心に学習
前年の1次検定に注目	法令理解	前年の1次検定に注目

●落とすための検定●

●美しい文学作品を書けたら合格？？

メインとなる施工経験記述をはじめ、この2次検定の合否の境界はどこでしょうか。論述式の検定なので、高い文章力が要求される印象があります。

しかし、美しい文学作品を書けたから合格！ ではありません。文体の是非は、ほとんど採点に影響しません。美しい文章で点が取れるならば、現場監督よりも作家のほうが合格に近いことになります。

したがって合否のポイントは、そこではありません。端的に結論だけをいいますと、「落ちるような要素」を書くから落ちるのです。

逆に考えれば、それらさえ書かなければ、文章が下手でも充分に合格できます。多少の誤字脱字や漢字が書けなくても、大目に見てもらえます。

では、その「落ちるような要素」とは何でしょうか。極端な例ですが、以下の文章を見て、どのように感じますか？

特別教育修了者の中から、作業主任者を選任して現場に配置した。

もうこれは、一発レッドカードですよね。労働安全衛生法を全く把握できていない典型例です。その次の行以降は、もう採点してもらえません。確実に不合格になります。

このような「NGワード」を徹底して排除すれば、自ずと合格は見えてきます。「美しい文学作品」は合否に関係ないことが、理解できましたか。

●採点者はどこを見ているのか

選択方式の1次検定と異なり、2次検定は、採点者が解答を目で読んで採点します。1枚の解答用紙を2名で担当し、採点者による偏りを低減させています。

さて、採点者は100人分の束をバサッと渡されて、「最低でも半分は落としてね。」と指示されている－このように考えてください。美しい文章が書けたら全員合格、などあり得ません。

最初から受験者の半数が落とされることが、前提条件として決められているのです。2次検定の合格率が例年30～50%の狭いゾーンに収まっている現実が、これを如実に表しています。

つまり採点者は、「どうやって落とそうかなぁ」という目線で、解答を見ているのです。美しい言い回しで加点はありませんが、疑わしいような記述では、どんどん減点されていきます。

下図は、採点者がどのように減点したいかの、方向性を示したものです。

◆採点者の目線（イメージ）◆

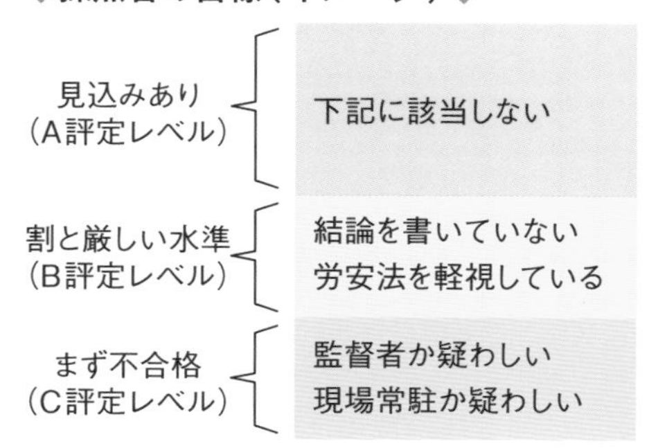

落とされる人々の記述パターンを、大雑把に分類したものです。特に以下の2点は、採点者が目を皿のようにして、文脈から見抜こうとしています。

- 本当に監督者なのか
- 本当に現場常駐していたか

ここが疑わしい場合は、そもそも受験資格のない人なので、当然に不合格になります。

●情報をしっかり読もう●

●問題文を軽く読み流していないか

一例として、以下のような設問があったとしましょう。

〔例題〕 ○○を次の選択欄から選び、解答欄に番号と用語を記入のうえ、内容を具体的に記述せよ。

1.　OLT	2.　マルチパス	3.　IP-VPN

これに対して、次のような解答をしていませんか？

〔解答〕

OLT	光ファイバ通信回線を構築するにあたって、各加入者宅に設置されるONUと呼ばれる加入者線端局装置と、対になる装置にあたる。

残念ながら、これでは減点の可能性があります。問題文をよく読んでください。「番号と用語を記入」とあります。つまり、用語の名称だけでなく、番号も採点の対象になっているのです。

したがって、模範解答としては、以下のような形が望ましいでしょう。

〔解答〕 1. OLT

問題文を頭から終わりまでしっかりと読み、つまらないミスで得点を落とさないようにしましょう。

●解答欄の形を確認したか

次に、以下のような設問に対する考え方です。

〔例題〕 ○○の所要工期を算出せよ。

〔解答〕 24

これだと、いかがでしょうか？受験者本人は「24日」という意味で記入したつもりでも、他の人はそうは認識しないかもしれません。

単に「24」のみだと、24時間とも、24週間とも解釈できてしまいます。このように、解答欄の周辺（この場合は右）に「日」等の情報がない場合には、自分の手で単位まで記述する必要があります。

〔解答〕 24日

このように、単位までを含めた形で記載すれば、他の時間軸と確実に区別できます。

「そんな小さなこと、どうでもいいじゃん。」と、思った方。「そんな小さなこと」すら対処できない監督さんに、命を預けられますか？

技術検定の主催側は、そそっかしい人物を落とすために検定制度を設けているのです。

●2級の問題3について●

1級と2級とでは、出題形式にいくつかの違いが見られます。その1つに「2級の問題3」がありますが、ここは年度によって設問のジャンルが変わるものです。

1級のみを受験する場合には、この情報は関係ありませんので、読み飛ばして構いません。

●出題実績

過去5年間に実施された設問を俯瞰すると、下表のように整理できます。昨年（令和5年）は、ネットワーク工程表が出題されました。

年度	設問ジャンル
令和1年	ネットワーク工程表
令和2年	安全管理用語
令和3年	ネットワーク工程表
令和4年	労働災害防止対策
令和5年	ネットワーク工程表

下記のようにマトリクス構造に並べ直すと、把握しやすいかもしれません。

設問ジャンル	ネットワーク工程表	労働災害防止対策	安全管理用語
累計数	3回	1回	1回
令和1年	○		
令和2年			○
令和3年	○		
令和4年		○	
令和5年	○		

⇩

令和6年		注目	注目

実績の累計数は、各ジャンルとも1回ないし3回です。全体母数の少なさもあり、極端なバラツキとは思えません。この視点からは、どのジャンルも平均的な確率で出題し得ると考えられます。

また、同一の設問ジャンルが2年連続で出題されたことは、過去には一度もありません。この事実から推察すると、昨年の出題がなかった「労働災害防止対策」か、「安全管理用語」のどちらかが、出題される可能性が高いといえます。

したがって心構えとしては、まずは5章の労働災害防止対策と6章の安全管理用語に着目しておきましょう。その後に余裕があれば、4章のネットワーク工程表を進める形がよいでしょう。

とはいえ、ヤマを張って設問ジャンルを決めつけるのは危険です。視野を広く持ちつつも、その中で優先順位を決めて、温度差をつけた勉強法が望ましいと考えられます。

●日程&注意事項●

●日程の確認

2024(令和6)年度
1級・2級　電気通信工事施工管理技術検定の2次検定日程

	2級	1級	
6月			
7月	申請受付 7/9(火) ↓ 7/23(火)		
8月			
9月		9/1(日)1次検定	
10月		1次検定合否発表 10/3(木) →	受験手続 10/3(木) ↓ 10/17(木)
11月	11/17(日)2次検定		
12月		12/1(日)2次検定	
1月			
2月			
3月	3/5(水)合否発表 ↓ 合格証明書 申請	3/5(水)合否発表 ↓ 合格証明書 申請	

◆検定試験の動向◆

この資格検定を受験するためには、法律で定められた一定の実務経験が必要となります。建設現場での実務経験を持たない人が、自己啓発等を目的として受験することはできません。

検定試験は、まずマークシート形式の1次検定が行われ、この合格者に対して2次検定が行われます。いずれも試験会場室内における記述試験となります。特に2次検定は自身が建設現場にて経験した内容や、用語説明等を自分の言葉で論述する必要があります。

また不正行為に関しては、実施機関による厳しい監視がなされています。特に2次検定の対策として、経験記述の添削サービスが広く横行していますが、これを不正行為として取り締まる傾向が強まっています。添削サービスでの文脈の表現がみな同じパターンになるために、採点側ですぐに判別できるようです。充分にご注意ください。

※受験概要やスケジュール等は変更になる可能性もあります。詳細については必ず一般社団法人全国建設研修センターのホームページを参照してください。

■ https://www.jctc.jp/ ■

施工経験記述

施工経験記述の学習にあたって

●非常に重要な設問である

2次検定のハイライトともいうべき施工経験記述の設問が、問題1として試験の冒頭に配置されています。この施工経験記述問題が合格水準に達していないと、以降の設問は採点がなされません。つまり、施工経験記述が不合格であれば、そのまま2次検定そのものも不合格となってしまいます。

施工経験記述問題
不合格

2次検定も
不合格

ですから、経験記述を苦手とする場合には、2章以降の問題でその不足分を補うことはできませんので、注意が必要です。2章以降の問題とは、格段に優先度が異なります。確実に解答ができるように充分な事前準備が求められる分野となります。

●1級と2級とで、設問の内容は同じ

この施工経験記述問題は、1級と2級とで出題内容に差はありません。両級のどちらも、

電気通信工事施工管理技術検定は、そのレベル区分によって1級と2級とが存在する。1級のほうがより上位である。そして2次検定においては、これらどちらの級であっても、試験の冒頭で「施工経験記述」という設問が出題される。

この施工経験記述問題は、1級でも2級でも非常に重要な設問であり、避けて通ることはできない。文字通り、2次検定の合否を決定する分岐点といえる。多くの受験者が手をこまねく設問分野でもあるから、早い段階から充分な準備をしておきたい。

ただし文学作品のような文章が求められているわけではないので、文章の上手い/下手はあまり気にする必要はない。

次ページの「出題の形式」にて掲示した形となります。ですから1級と2級の両級を併願する受験者は、1級の対策のみを行っておけば、2級の学習を内包することになります。

1級と2級とで出題の内容が同じであるということは、両級でレベルの差はないのでしょうか？　この点については、外部からは採点基準が見えません。そのため推察となってしまいますが、おそらく内容の精度に差をつけていると考えられます。つまり1級のほうが、より細かい部分まで厳しくチェックされるイメージです。

仮に1級の2次検定と2級の2次検定とで全く同一の内容を解答した場合に、2級では65点レベルで合格水準だったとしましょう。しかし、1級ではより厳しく見られて55点レベルとなり、不合格となる可能性も出てきます。したがって1級の受験にあたっては、より入念な事前準備が求められると考えてよさそうです。

●目安として、2か月前から取り組もう

学習にあたって具体的な「量」はつかみにくいですが、目安としては試験日の2か月前あたりには着手しておいたほうがよさそうです。2章以降の問題よりも、より優先的に進めましょう。

1-1 ［経験記述問題のあらまし］

2次検定において最も中軸となる施工経験記述問題であるが、合格するためには入念な事前準備が必要である。自身が経験した電気通信工事の案件の中から1件を選択して記述していくが、まずは設問の全体像から眺めてみたい。

どういった形で何を要求されているのか。必要な情報は何か。充分に時間があるうちに余裕を持って準備をしておこう。

出題の形式

【問題 1】 あなたが経験した電気通信工事のうちから，代表的な工事を1つ選び，次の設問1から設問3の答えを解答欄に記述しなさい。

〔注意〕 代表的な工事の工事名が工事以外でも，電気通信設備の据付調整が含まれている場合は，実務経験として認められます。
ただし，あなたが経験した工事でないことが判明した場合は失格となります。

〔設問1〕 あなたが**経験した電気通信工事**に関し，次の事項について記述しなさい。

〔注意〕 「経験した電気通信工事」は，あなたが工事請負者の技術者の場合は，あなたの所属会社が受注した工事内容について記述してください。従って，あなたの所属会社が二次下請業者の場合は，発注者名は一次下請業者名となります。
なお，あなたの所属が発注機関の場合の発注者名は，所属機関名となります。

(1) 工　事　名
(2) 工事の内容
　① 発注者名
　② 工事場所
　③ 工　　期
　④ 請負概算金額
　⑤ 工事概要
(3) 工事現場における施工管理上のあなたの立場又は役割

〔設問2〕 上記工事を施工することにあたり「**工程管理**」上，あなたが**特に重要と考えた事項**をあげ，それについて**とった措置又は対策**を簡潔に記述しなさい。

〔設問3〕 上記工事を施工することにあたり「**品質管理**」上，あなたが**特に重要と考えた事項**をあげ，それについて**とった措置又は対策**を簡潔に記述しなさい。

出典：1級電気通信工事施工管理技術検定 令和2年度 実地試験

ポイント▶ この設問の形は1級も2級も同じである。自分がこれまでに経験した電気通信工事の中から1つを選択し、設問に沿うように論述していく。条件に合ってさえいれば、自分が書きやすい案件を選べばよい。
設問の流れとしては、工事の内容を具体的に示した後、その案件を施工するにあたっての「管理策」を記載する。管理策は、安全管理、工程管理、品質管理の3種類があり、この中から2種が出題される。選択式ではないため、出題された設問は全て解答しなければならない。

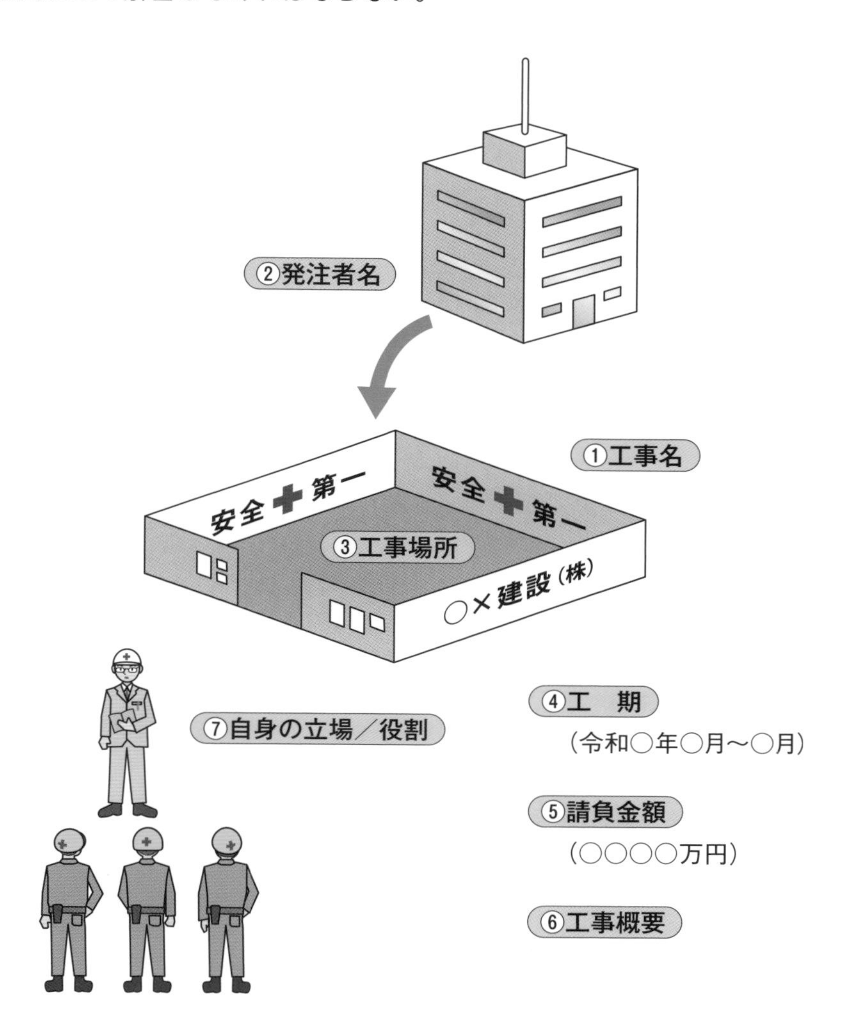

記載すべき工事の内容は、①工事名、②発注者名、③工事場所、④工期、⑤請負金額、⑥工事概要、⑦自身の立場や役割の7項目です。この7項目は全て埋めなくてはなりません。

このうちの「工事概要」だけは、ある程度の文字量で記述する必要があります。それ以外の6項目は、端的に必要な語句のみを記載する形となります。具体的には次ページ以降で解説します。

1-2 ［あるべき合格者像］

施工経験記述問題の設問は論述式である。そのため唯一解が存在する設問と比較すると、少なからず曖昧さを含むとともに、言葉尻ひとつで合格と不合格とを分けてしまうのではないかという不安もある。特に1級はより厳しくチェックされると推定されるため、どのような書き方をしていくべきか、なかなかつかみどころがないのが実態である。
その中で、どういった書き方をすれば合格域に入ることができ、逆に不合格として退けられる書き方とは何なのか。本節では、この点について具体的に見ていきたい。

ポイント▶ 電気通信工事に限らず、他の施工管理技術検定を全般的に俯瞰してみると、採点の方針としては、「こういった人物を監理技術者にさせるわけにはいかない」という意思が伺い知れる。落とされる条件には、ある程度のパターンがあるようだ。
逆にいえば、「こういった人物」ではない実態を的確に伝えられればよいわけで、必要以上に神経質になることもない。文章が上手いか下手という点は、あまり気にしなくてもよい。

▶▶▶ あるべき合格者像 ◀◀◀

採点者が期待する人物像としては、以下のような項目があげられます。資格試験であることからこれらは当然の項目ですが、受験者はつい見落としがちです。採点者の立場になってみて、「自分のような人物を合格させたいか」と自問してみるとよいでしょう。

・監理技術者（2級は主任技術者）になるに相応しい、充分な経験があるか
・監理技術者（2級は主任技術者）になるに相応しい、知識や技術力を備えているか
・監理技術者（2級は主任技術者）になるに相応しい、組織を俯瞰する能力があるか

これらの項目を、施工経験記述問題に書き下ろしていくにあたって、注意すべきポイントを細分化したものが以下の項目になります。採点者はココを見ていると思えば、記述の方向性を捉えやすくなるでしょう。

❶ その工事は、電気通信工事か

一口に工事といっても、いろいろな分野が存在します。電気通信工事の施工管理技士になるための試験ですから、当然に電気通信工事に深く携わっていることが条件になります。しかし、電気通信工事が他の大きな案件の一部に含まれてしまっているケースも、多々あります。その場合は下記にもありますが、電気通信工事だけで受注額500万円以上あることが望ましいです。

❷ 発注者と充分な接触を持ったか

発注者名を正式な名称で、漢字で書けますか？　工事にあたって組織の中で中心的な役割を担っていれば、発注者との接触も多くなるはずです。発注者の事務所を訪問しての技術的な打

ち合わせも、何度となく経験したでしょう。ここを正しく記載できないようでは、「現場で単なる雑務をこなしただけでは？」と疑われることになります。

❸ 本当に工期の大部分を、現場常駐で過ごしたか

現場常駐が長ければ、ある程度は現場の文化にも触れていてしかりです。現場の所在地を正確に記述できないと、「数回程度、手伝いに行っただけでは？」と疑念を持たれることになりかねません。毎朝、現場の前を通る小学生の列は、どちらの方向に進んでいたか、即答できますか？

❹ 人を成長させる充分な時間を現場で過ごしたか

施工管理技術検定は、主任技術者や監理技術者を生み出すための国家試験です。着工前の準備から竣工後の残務まで、その工事の全てを見届けましたか？　この案件を完遂したことで、人間として成長しましたか？　一時的に手伝っただけではありませんか？

❺ 建設業許可が必要となる工事規模か

受注金額500万円未満の小規模な工事案件は、建設業許可を受けていなくても、素人でも実施できます。つまり、その規模の工事では施工管理技士になるには、あまり相応しい経験とはいえません。可能であれば500万円以上の案件を選びましょう。

❻ 工事の中で中心的な役割を担っていたか

施工管理技士は、実質的に下請の建設業者を管理する資格ともいえます。そのためにも、関係するステークホルダーと密に連絡を取り合う中心的な立場にいることが自然であると想定できます。自社の中での役職は高位でなくても構いませんが、工事現場ではある程度の主導権を持っていることが受験資格の前提となります。

❼ 本当に自分が経験した工事か

事務所での設計や、営業を担当しただけでは施工経験にはなりません。採点者は、文面から「本当に本人が現場に常駐して経験した案件か」を見抜こうとしています。逆の言い方をすれば、本当に自分が現場常駐で活躍した工事であれば、美しい文章でなくても合格は近いでしょう。

1-3 ［題材として選ぶ工事種］

施工経験記述の準備にあたり、どのような工事種をテーマに選定すべきか、確認しておきたい。題材として選択不可能な工事種を記載してしまうと、不合格となってしまうため、ここは軽視できない。

●題材として認められる工事種●

そもそも、どういった工事種がOKで、何が対象外なのか。何を基準に判別すればよいのでしょうか。これについては、検定実施機関である全国建設研修センターから具体的な指針が示されています。

Webサイトでも確認できますが、検定を申し込む際に取り寄せた願書一式の中に、手引書が同封されています。

2次検定の全ての受験者は、申し込みの際の願書に実務経験を記載しています。このときは、「実務経験として認められる工事」を記載しているはずですが、この分類と、施工経験記述で選定するテーマの分類は同じです。

以下に、題材として選択可能な、「認められる工事種」を掲載します。

工事種別	工事内容	
1. 有線電気通信設備工事	通信ケーブル工事 伝送設備工事	CATV ケーブル工事 電話交換設備工事
2. 無線電気通信設備工事	携帯電話設備工事（携帯局を除く） 移動無線設備工事（移動局を除く） 航空保安無線設備工事 海岸局無線設備工事 空中線設備工事	衛星通信設備工事（可搬地球局を除く） 固定系無線設備工事 対空通信設備工事 ラジオ再放送設備工事
3. ネットワーク設備工事	LAN 設備工事	無線 LAN 設備工事
4. 情報設備工事	監視カメラ設備工事 AI（人工知能）処理設備工事 案内表示システム工事 河川情報システム工事 ETC 設備工事（車両取付を除く） センサー情報収集システム工事 水文・気象等観測設備工事 監視レーダ設備工事 道路情報表示設備工事 非常警報設備工事 計装システム工事 デジタルサイネージ設備工事	コンピュータ設備工事 映像・情報表示システム工事 監視制御システム工事 道路交通情報システム工事 指令システム工事 テレメータ設備工事 レーダ雨量計設備工事 ヘリコプター映像受信基地局設備工事 放流警報設備工事 信号システム工事 入退室管理システム工事
5. 放送機械設備工事	放送用送信設備工事 FPU 受信基地局設備工事 CATV 放送設備工事 構内放送設備工事	放送用中継設備工事 放送用製作・編集・送出システム工事 テレビ共同受信設備工事 テレビ電波障害防除設備工事

発注者と契約した工事件名が、これらに一致、もしくは近い表現であれば、施工経験記述のテーマとして選択することができます。

●題材として認められない工事種●

一方で、テーマとして選択することができないものには、どのような案件があるのでしょうか。こちらも同様に、手引書からの引用を示します。

契約名称がこれらに一致、あるいは近い表現になっている場合には、残念ながら対象外となってしまいます。決してテーマに選ばないでください。

工事種別	工事内容
1. 電気通信設備取付	自動車、鉄道車両、建設機械、船舶、航空機等における電気通信設備の取付
2. 土木工事	通信管路（マンホール・ハンドホール）敷設工事、とう道築造工事、地中配管埋設工事
3. 電気設備工事	発電設備工事、送配電線工事、引込線工事、受変電設備工事、 構内電気設備（非常用電気設備を含む。）工事、照明設備工事、電車線工事、 ネオン装置工事、建築物等の「○○電気設備工事」等
4. 鋼構造物工事	通信鉄塔工事
5. 機械器具設置工事	プラント設備工事、エレベータ設備工事、運搬機器設置工事、 内燃力発電設備工事、集塵機器設置工事、給排気機器設置工事、 揚排水（ポンプ場）機器設置工事、ダム用仮設工事、 遊技施設設置工事、舞台装置設備工事、サイロ設置工事、立体駐車場設備工事
6. 消防施設工事	屋内消火栓設置工事、スプリンクラー設置工事、 水噴霧・泡・不燃ガス・蒸発性液体または粉末による消火設備工事、 屋外消火栓設置工事、動力消防ポンプ設置工事、漏電火災警報設備工事
7. その他	ケーブルラック、電線管等の配管工事
8. 据付調整を含まない工場製作のみの工事、製造及び購入	
9. 撤去のみの工事	

●両表に記載がない工事の場合●

どちらの表にも記載がないような工事種の場合は、どう考えるべきでしょうか。自身だけで判断をするには、やや不安な一面もあります。

しかし、電気通信工事の要素が含まれていて、「認められない工事種」に分類されていなければ、基本的にはOKと捉えて構いません。

一例として、「列車運行保安システム設備工事」のようなケースは、どう判別すればよいのでしょうか。これは上表のどちらにも分類がありません。

列車運行保安システムは、一般には地上側と車両側とで対になって機能するシステムになります。しかし、「鉄道車両における電気通信設備の取付」は、認められない工事種として示されています。

つまり、地上側の設備の工事がメインであれば、選択可能と考えてよいでしょう。

このように、両表に分類がない場合において、強引に選択可能な工事に含めるテクニックがあります。以下の例文を参照してください。

工 事 名：△△線第７区列車運行保安システム設備工事

工事概要：掲題の鉄道線路につき、列車運行保安システム設備工事を実施。具体的な内容として、地上処理装置を計23台据付けた他、通信用トランスポンダを計69台、光ファイバケーブルを総延長12km敷設。また関連する通信ケーブル、電源ケーブル等を敷設。以上の情報設備工事を行った。

いかがでしょうか？ 文末の「以上の情報設備工事を行った。」と追加することによって、随分と印象が変わるのが感じられますか。

文末がないと、上記の両表のどちらにも分類されません。しかし文末に一文を付け加えただけで、たちまち選択可能な工事種の表の、「4.情報設備工事」に含まれることになります。

言葉って不思議ですね。

1-4 工事内容の記述①［主に元請の場合の例］

施工経験記述問題にて解答する工事について、まずは設問1にて概要を記載する。ここも採点の対象であるから、しっかりとした選択と、正確な内容を把握していなければならない。

当然ながら、設問2以降の措置・対策で論じていく内容と辻褄が合っていなければならない。中途半端な書き方で、矛盾点が発生しないように留意したい。とはいえ、高度な工事内容を選ぶ必要はなく、現場経験の中から書きやすい案件を選択していけばよい。

演習問題・解答例

演習問題 あなたが経験した電気通信工事のうちから、代表的な工事を1つ選び、次の事項について記述しなさい。

(1) 工事名
(2) 工事の内容
（発注者名、工事場所、工期、請負概算金額、工事概要）
(3) 工事現場における施工管理上のあなたの立場または役割

ポイント 「経験した電気通信工事」は、自社が工事請負者の場合は自社が受注した工事内容について記述する。公官庁発注の公共工事は案件の内容が照合されやすいため、より精度の高い記述が求められる。
そのため記載項目に曖昧な箇所が存在する等、やや自信に欠ける場合には、民間発注の案件を選択したほうが無難である。

〔解答例〕●主に「元請」の場合の例●

自社が発注者から直接受注する形の、元請である場合の解答例を示します。自社が元請であれば、発注者との契約内容に基いた記載とします。各項目の具体的な記述例は、下記を参照してください。

工 事 名：東西ビル建設工事

発注者との間の、契約上の正式名称を記載します。ビル建設等の大きな工事の一部として、館内の電気通信工事も含めて受注した場合であっても、契約名称をそのまま記載することになります。

発注者名：○○株式会社

企業によっては略称や愛称を用いているケースもありますが、ここでは必ず正式名称で記載します。施工した当時と社名が変わっている場合には、契約時点での社名で記載することが好ましいです。民間発注であれば、部署まで記載する必要はありません。
一方の公官庁発注案件であれば、「国土交通省関東地方整備局河川部電気通信課」のように課名まで記載したほうがよいでしょう。

工事場所： 東京都八王子市南大沢2丁目28-1

具体的な番地まで記載することが望ましいです。
不明な場合は、もう一度現地まで赴いて再確認する等、精度の向上に努めましょう。

工　　期： 平成29年6月～9月

ビル建設等の大きな工事の一部として受注した場合は、実際に電気通信工事に関する作業が発生した期間を記載します。自分自身が現場に参加していた期間ではないので、注意しましょう。
古い案件を扱いたい場合は、20年ほど前の案件でも特に問題ありません。

概算金額： 2700万円

ビル建設等の大きな工事の一部として受注した場合は、その中で電気通信工事のみに該当する金額を記載します。
金額の大小は、採点にはほとんど影響しません。ただし500万円未満は建設業許可がなくても実施できるため、できれば避けたほうがよいです。

工事概要： 地上４階、地下１階の上記ビル新設工事において、館内の電話、有線LAN、無線LAN、放送、テレビ、火災報知設備に関する電気通信設備の据付け調整作業。および館内の光、メタル、同軸ケーブル等の配線作業を実施した。

電気通信工事が含まれていないと、現場経験の対象外となります。「受験の手引」に列挙されている、「認められる工事内容」のいずれかの項目を含めて記載しなければなりません。100～120文字でまとめましょう。

工事現場における施工管理上のあなたの立場または役割： 工事主任

社内における役職ではありません。下請を含めた工事現場の組織における自身の役割を記載します。特に1級受験者は、下請を監督する主任技術者レベルの立ち位置にいることが望ましいです。

1-4 工事内容の記述②［主に下請の場合の例］

〔解答例〕●主に「下請」の場合の例●

自社が別の建設業者から受注する形の、下請である場合の解答例を示します。自社が下請であれば、自社と直接的に契約のある建設業者との契約内容に基いた記載とします。各項目の具体的な記述例は、下記を参照してください。

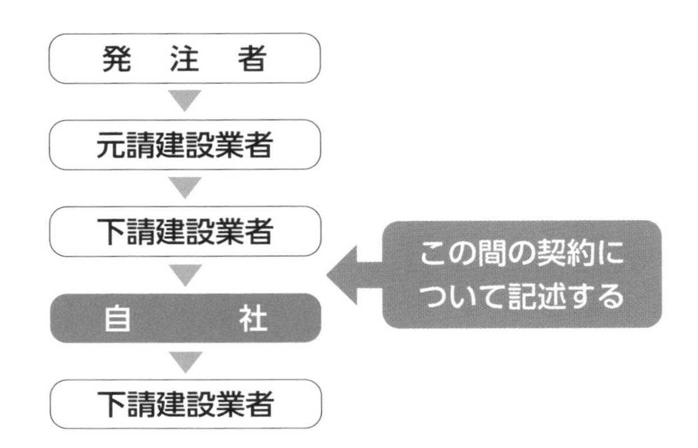

工 事 名：東名東京料金所 ETC 設備工事

発注者と元請との間の工事名称ではありません。あくまで、自社から見た直接的な契約者（1つ上の建設業者）と自社との間の契約上の名称になります。

自社が下請であれば、大きな工事全体の中で、限られた部分作業となるケースが多いと考えられます。企業間の慣わしによって契約が月単位になっている場合は、「○月分」という表記は省略して構いません。

発注者名：○○電設株式会社

企業によっては略称や愛称を用いているケースもありますが、ここでは必ず正式名称で記載します。施工した当時と社名が変わっている場合には、契約時点での当時の社名で記載することが好ましいです。部署まで記載する必要はありません。

工事場所：神奈川県川崎市宮前区南平台 1-1

具体的な番地まで記載することが望ましいです。しかし自社が下請の場合には、詳細な情報が入手できないケースもありえます。

不明な場合は、もう一度現地まで赴いて再確認したり、近年では Web

でも調べやすくなってきているため、複数の手段を用いて精度の向上に努めましょう。

工　　期：平成２８年１２月～平成２９年１月

構造物の建設等の大きな工事の一部として受注した場合は、実際に電気通信工事に関係する作業が発生した期間を記載します。自分自身が現場に参加していた期間ではありませんので、注意してください。
古い案件を扱いたい場合は、20 年ほど前の案件でも特に問題ありません。

概算金額：７３０万円

構造物の建設等の大きな工事の一部として受注した場合は、その中で電気通信工事のみに該当する金額を記載します。1000 万円以上であれば 100 万円単位で、1000 万円未満であれば 10 万円単位で記載しましょう。
金額の大小は、採点にはほとんど影響しません。ただし 500 万円未満は建設業許可がなくても実施できるため、できれば避けたほうがよいと考えられます。

工事概要：高速自動車国道の本線料金所において、計６レーンについて以下の電気通信工事を実施した。ETC 車線サーバ６台、空中線１８基、他関係機器の新設。光ファイバ回線、および同軸ケーブル、電源ケーブル等の敷設を実施した。

電気通信工事が含まれていないと、現場経験の対象外となります。「受験の手引」に列挙されている、「認められる工事内容」のいずれかの項目を含めて記載しなければなりません。
装置や機器の名称だけでは電気通信工事と訴求しにくい場合は、作例のように「以下の電気通信工事を実施した」という言い回しで強調するとよいです。100 ～ 120 文字でまとめましょう。

工事現場における施工管理上のあなたの立場または役割：主任技術者

社内における役職ではありません。自社と自社が発注する再下請（存在する場合）を含めた、工事現場の組織における自身の役割を記載します。特に１級受験者は、再下請を監督する主任技術者レベルの立ち位置にいることが望ましいです。
自社が下請の場合は、自社の直接雇用者（つまり正社員）が主任技術者として選任されていますよね？

1-4 工事内容の記述③［主に発注者の場合の例］

〔解答例〕●主に「発注者」の場合の例●

自組織が発注者である場合の解答の一例を示します。自分が発注元ですから、契約の相手方は当然ながら元請となります。この元請業者との契約内容に基いた記載をします。各項目の具体的な記述例は、下記を参照してください。

工 事 名：イロハ静岡事業所構内光ケーブル更新工事

元請建設業者との間の、契約上の正式名称を記載します。工場建設等の大きな工事の一部として、場内の電気通信工事も含めて発注した場合であっても、契約名称をそのまま記載することになります。

発注者名：（株）イロハ静岡事業所工務部

組織によっては略称や愛称を用いているケースもありますが、ここでは必ず正式名称で記載します。ただし、「株式会社」の部分は、（株）と略しても構いません。施工した当時から社名等が変更になっている場合には、契約時点での社名で記載することが好ましいです。

自身が民間企業である場合には、大きな部署名までは記載したほうがよいでしょう。例として「大阪支店 第1事業部」であるとか、「札幌事業所設備管理部」等の形です。公官庁であれば、「国土交通省九州地方整備局港湾空港部電気通信課」のように、具体的な課名まで記載します。

工事場所：静岡県掛川市領家8014

具体的な番地まで記載することが望ましいです。

退職した場合等記憶が曖昧な場合は、再確認をして精度の向上に努めましょう。

工　　期：令和2年5月～9月

工場建設等の大きな工事の一部として発注した場合は、実際に電気通信工事に関する作業が発生した期間を記載します。自分自身が現場に参加していた期間ではないので、注意しましょう。

ここは管理項目の記述と、矛盾が発生しないように注意したいところです。例えば、冬季の施工であるのに「熱中症について特に重要と考えた」

であるとか、逆に夏季にもかかわらず「降雪の影響による遅延が見込まれた」等といった点です。
　古い案件を扱いたい場合は、20年ほど前の案件でも特に問題ありません。

概算金額：6000万円

　工場建設等の大きな工事の一部として発注した場合は、その中で電気通信工事のみに該当する金額を記載します。算出が難しい場合には、ざっくりとした数字でも構いません。
　金額の大小は、採点にはほとんど影響しません。ただし発注額500万円未満の小規模な案件は、建設業許可がなくても実施できるため、できれば避けたほうが無難です。

工事概要：事業所の屋内および建屋間について光ケーブル計31本、延べ11kmを更新。これに伴うスプライスボックス23面の新設、機器収納ボックス23面の新設、ハブ31台を更新する電気通信工事を実施した。さらには、各ハブの下流方の有線LANケーブルの更新を行った。

　電気通信工事が含まれていないと、現場経験の対象外となります。「受験の手引」に列挙されている、「認められる工事内容」のいずれかの項目を含めて記載しなければなりません。
　※文字量の目安　　1級⇒110～120文字
　　　　　　　　　　2級⇒100～110文字

工事現場における施工管理上のあなたの立場または役割：発注側の施工監督

　発注者の場合には、必ず冒頭に「発注側の」と追記してください。これがないと、発注側なのか受注側なのかの区別ができません。
　ここは、社内における役職を記載するわけではありません。工事を実施するにあたっての工事現場の全体組織における、自身の役割を記載します。特に1級受験者は、主任技術者レベルの立ち位置にいることが望ましいです。

1-5 ［出題の傾向］

施工経験記述問題における「3管理」とは、具体的には以下の3つのジャンルを指す。

・安全管理　・工程管理　・品質管理

問題1の設問2以降で、これら3管理に関する具体的な内容が問われる。3つ全てが出題されるのではなく、実際には、3管理のうちの2つが出される形となる。

出された2つの管理ジャンルは、両方とも回答必須である。どちらか一方の選択ではないため、注意しておきたい。

●出題傾向の分析●

この3管理の設問について、昨年までの出題実績を以下に示します。これら出題の傾向を把握した上で、戦略的な目線で取り組んでいきましょう。

◆1級の出題傾向◆

過去5年間に実施された設問を俯瞰すると、1級の実績としては、下表のようにまとめられます。昨年（令和5年）は、工程管理と品質管理が出題され、安全管理は出ませんでした。

同一の管理ジャンルが2年連続で出題されなかったことは、過去には一度もありません。この事実から推察すると、昨年の出題がなかった「安全管理」は、極めて高い確率で出題されるだろうと判断できます。

管理ジャンル	安全管理	工程管理	品質管理
累計数	2回	4回	4回
令和1年		○	○
令和2年	○		○
令和3年		○	○
令和4年	○	○	
令和5年		○	○

⇩

令和6年	本命	注目	注目

出題された累計数は、安全管理が2回で、やや少ない印象です。工程管理と品質管理はともに4回です。まだ実績の全体母数が少ないこともあり、このバラツキはそれほど極端なものとも思えません。

今後、安全管理が挽回してきて、全体的に平準化していくでしょう。

したがって心構えとしては、上の表に示したように、まずは安全管理を最優先に組み立てておきましょう。その後に、工程と品質の2つを進める形がよいでしょう。

いずれにしても、3つの管理ジャンルは、全て準備を行わなければなりません。

◆２級の出題傾向◆

2級も同じように、過去5年間の設問を眺めてみます。こちらの実績は、下表のようにまとめられます。昨年（令和5年）は、安全管理と品質管理が出題され、工程管理は出ませんでした。

管理ジャンル 累計数	安全管理 2回	工程管理 3回	品質管理 3回
令和1年	○		○
令和2年		○	○
令和3年	○	○	
令和4年		○	○
令和5年	○		○

⇩

令和5年	注目	本命	注目

1級と同様の推察を行うと、昨年度の出題がなかった「工程管理」は、特に議論の余地なく出題されるものと判断できます。

出題の累計数は、各管理ジャンルとも3回ないし4回で、不自然なバラツキは見られません。この視点からはどのジャンルも、同じような確率で出題し得ると考えられます。

したがって心構えとしては、上の表に示したように、まずは工程管理を最優先に組み立てておきましょう。その後に、安全と品質の2つを進める形がよいでしょう。

いずれにしても、これらの管理ジャンルは、3つとも全て準備をしなくてなりません。

●準備のスケジュール感●

施工経験記述の答案プランを3つも組み立てることは、現実的には、かなりしんどい作業です。対策としては、とにかく早めに着手を行って、手遅れにならないように計画的に進めます。

時間がないからといって、「注目」のうちの1つを省略するようなギャンブルはやめましょう。目安としては、以下のようなスケジュール感を持って進めるとよいです。

・9週間前　材料の収集開始
・7週間前　下書きを書き始め
・5週間前　文章の完成、暗記を開始

9週間といえば、約2か月前ですね。つまり2級であれば、9月中旬ごろに、1級であれば、9月下旬ごろには手をつけ始めましょう。

1-6 [3管理の攻め方]

●厳しい試練を覚悟せよ●

同じ2次検定の中でも、問題2以降は、どんな問題が出るかわかりません。しかし、この問題1の「施工経験記述」だけは、出題内容が事前にわかっている設問になります。

マークシート形式の1次検定のように、会場で問題用紙を開いてから、その場で考えるのではありません。事前に組み立てを完了した文章を、丸暗記して、当日はそれを書くという作業を行うだけです。

つまり、いかに事前にしっかりとした文章を組み立てられるかが、キーになります。とにかく余裕をもって、着手するようにしましょう。

さて、文章が完成してからも、厳しい試練があります。合格のためには、これを覚悟しなくてはなりません。

- 暗記という試練
- 書くという試練

問題2以降の部分も含めて、暗記すべき文字量は、想像以上に膨大です。目をつぶって暗記、そして書いて確認。ひたすらこれを繰り返して、頭に叩き込みます。

さらに当日は、「書く」という試練が待っています。これをナメると痛い思いをします。文字量の目安は、「1時間ずっと書きっぱなし」ぐらいになります。

普段の生活で、書くことに慣れていない人にとっては、利き手がヘトヘトになるくらいの作業量です。手が痛くなってきます。冬なのに、掌が汗まみれになってきます。

シャツやズボンは、汗を吸収しやすい素材の物を着用して行きましょう。

●安全管理の攻め方●

安全管理は文字通り、安全な形でゴールまで到達させるための活動のことです。どのような題材で攻めるかは、本書の5章の例文も参考になるでしょう。

・墜落	・飛来落下	・高所作業車
・感電	・電動工具	・地山の崩壊
・足場倒壊	・酸素欠乏	・クレーン作業等

記述のポイントは、労働安全衛生法令をキッチリ把握しているかどうかです。非常に大事なことなので、もう一度いいます。労働安全衛生法令の把握。これが合否の分かれ目です。

後段の、「とった措置または対策」の解答欄の末尾の部分は、結論の形として、概ね以下のような言い回しになるはずです。

- その結果、無事故で安全に竣工できた。
- その結果、△△災害ゼロを達成し、竣工した。

これ以外の形で文章を締めくくることは考えにくいです。間違っても、「その結果、死者2名、負傷者5名、通行者の巻き込み1件で竣工した。」で、合格できるとは思いませんよね。

●工程管理の攻め方●

安全管理は、絶対的に安全でなくてはなりません。同様に、品質管理は、要求仕様や法令、業界の基準は必ず満足しなければなりません。しかし、工程管理は少し性格が異なります。

施工計画の時点で、計画工期が設定されます。つまりゴールの日が決められます。このゴールとなる竣工日は、守ることが前提です。

しかし気象等の自然現象や、発注者からのストップ、材料の遅延、あるいは自社のコントロールが及ばない周辺工事の不具合等で、工程が遅れることは、珍しくはありません。

ですから、一旦遅れてしまった工程を、工夫をして回復させる活動も、工程管理の一環として記述が可能です。

記述のポイントは、工程表を適切に使い分けているかです。目的ごとに工程表は異なります。管理したい対象にフィットした工程表を選び、リアルタイムで管理を進めたストーリーを記述しましょう。

「とった措置または対策」の解答欄の末尾の部分は、結論の形として、中長期の工程管理では、おおよそ次の3つになるでしょう。

- その結果、遅延を発生させることなく、計画工期で竣工できた。
- その結果、工程の遅延を回復させ、計画工期で竣工できた。
- その結果、工程の遅延を最小限まで短縮して竣工できた。

短期の工程管理では、概ね以下の形になるのではないでしょうか。

- その結果、許容された回線断の時間内で竣工し、運用側に引き渡した。

●品質管理の攻め方●

品質管理は、発注者による要求仕様や、諸々の基準等を満足させるための活動になります。どのような題材で攻めるかは、本書の2章が参考になるでしょう。

・検査	・測定器	・機器の据付け
・盤内配線	・地中埋設	・電線管の敷設
・外壁貫通	・光心線接続	・管路内配線等

これら品質管理の特徴としては、数値目標を定めて、これを満足させる形が書きやすいです。実際に材料を集めてみるとわかりますが、数値のない品質目標だと、文章で表現することが意外と難しく感じられます。

後段の、「とった措置または対策」の解答欄の末尾の部分は、結論の形として、概ね以下の2つになると考えられます。

- その結果、発注者の要求仕様を満足して竣工した。
- その結果、△△の基準を満たして竣工できた。

決して、「発注者の要求仕様を満足せずに竣工し、引き渡した。」といったゴールはあり得ません。

1-7 安全管理① ［安全管理の攻略法］

施工経験記述問題の設問２以降で問われる「３管理」のうち、まずは安全管理である。自身の現場経験の中で書きやすい案件を選択すればよいが、当然に設問１にて設定した工事案件と内容がリンクしていなければならない。矛盾点がないように気をつけたい。

演習問題・解答例

演習問題 設問１にて設定した工事を施工することにあたり「安全管理」上、あなたが特に重要と考えた事項をあげ、それについてとった措置または対策を簡潔に記述しなさい。

ポイント 自分が経験した電気通信工事であっても、一作業者として参加した案件は避けたい。あくまで監督者としての目線で、あるいは下請の建設業者を指導する立場としての目線で論述していく必要がある。

前提とする工事の内容（酸素欠乏危険場所の例）

安全管理の課題を書き進めるにあたって、一般論的な攻略法を示していきます。前提となる工事案件の内容は、一例として、以下の酸素欠乏危険場所での作業を舞台設定としています。

工 事 名：都道416号線地下管路光回線増設工事
発注者名：東日本○○株式会社
工事場所：東京都渋谷区渋谷３丁目、明治通り
工　　期：令和２年11月
概算金額：980万円
工事概要：上記の道路下に設けられている既設管路に、光ファイバ通信線路２条を570メートルにわたって敷設する工事を実施。作業は夜間に限定され、道路を車線規制した後に、ハンドホールから人力および機械施工により光線路を送り込むもの。

次の４ステップで書き進めるのが、秘伝の攻略法

■第１ステップ〔まずは目標〕

・特に重要と考えた事項

□□□、酸欠事故を０とすることについて特に重要と考えた。

まずは目標から書け

■第2ステップ〔その背景・経緯〕

・特に重要と考えた事項

道路下のハンドホール内部での作業であるため、空気中の酸素濃度が通常より低くなっている可能性がある。そのため、作業者が低酸素症となるおそれが懸念された。これにより、酸欠事故を0とすることについて特に重要と考えた。

なぜそう考えたのか、背景や経緯

文字数の調整はあとでよい

■第3ステップ〔とにかく結論〕

・特に重要と考えた事項

道路下のハンドホール内部での作業であるため、空気中の酸素濃度が通常より低くなっている可能性がある。そのため、作業者が低酸素症となるおそれが懸念された。これにより、酸欠事故を0とすることについて特に重要と考えた。

・とった措置または対策

一番言いたいのはココでしょ!!

□□□その結果、酸欠事故0を達成し、安全に竣工した。

とにかく結論を書け

■第4ステップ〔とった措置や対策〕

・特に重要と考えた事項

道路下のハンドホール内部での作業であるため、空気中の酸素濃度が通常より低くなっている可能性がある。そのため、作業者が低酸素症となるおそれが懸念された。これにより、酸欠事故を0とすることについて特に重要と考えた。

・とった措置または対策

とった措置や対策は、一番最後でよい

まず従事する作業者は、酸欠硫化水素の特別教育を修了した者に限定し、さらに作業主任者を配置した。その上で、ハンドホール内の充分な換気を実施した後に、内部の酸素濃度が18%以上であることを2名以上で確認させてから作業に着手させた。その結果、酸欠事故0を達成し、安全に竣工した。

施工経験記述で最も重要となるのは、第3ステップの「結論」の部分です。これを明確に示していないと、結論が不明確で、大幅な減点となる可能性があります。

1-7 安全管理②［高所作業の例］

安全管理をテーマとして書き進めるにあたり、一例ではあるが、記述例を示したので参考にされたい。これらの雰囲気をつかんだ上で、柔軟に課題を組み立てていこう。

▶▶▶ 演習問題・解答例 ◀◀◀

演習問題 設問1にて設定した工事を施工することにあたり「安全管理」上、あなたが特に重要と考えた事項をあげ、それについてとった措置または対策を簡潔に記述しなさい。

前提とする工事の内容（高所作業の例）

工事名：鳩ヶ谷本町３丁目携帯電話基地局新設工事
発注者名：○○電工株式会社
工事場所：埼玉県川口市鳩ヶ谷本町３丁目 8-2
工　期：平成 26 年８月～９月
概算金額：650 万円
工事概要：上記所在地の民間店舗の屋上に携帯電話基地局の新設工事を実施。内容は無線機３台と、伝送装置１台の据付け、空中線用鋼管柱３基の据付け、空中線の取り付け。および電源、光ケーブル、同軸ケーブルの配線等である。

高所作業が舞台となる場合には、高い位置から人が落ちるケースと、工具や材料を落とすケースの、大きく２つのテーマが想定できます。これらの結果として怪我や、最悪の場合には死亡事故となる可能性が考えられます。

これら２つの状況は、「落ちる」という共通点で見ると、よく似ています。しかし上記の２つのケースは、明確に異なります。以下に「良い解答例」と「悪い解答例」を示しましたので、両者の違いを把握しておきましょう。

携帯電話基地局の例

◎【良い解答例】

・特に重要と考えた事項

人は墜落

3階建ての店舗の屋上であり高所作業となるため、作業者の墜落事故防止と、工具や資材の落下事故防止の2点について特に重点的に留意した。

物は落下

1級⇒100～110文字
2級⇒70～90文字

・とった措置または対策

作業者の墜落防止については、安全帯の着用は無論のこと、鋼管柱に登った際のU字ロックの掛け方について2人1組で確認を行いミスを防いだ。工具や資材の落下防止は、防護ネットを配置したほか、工具等をロープでつなぐ対策をとった。結果、無災害で竣工できた。

専門用語を含めよう

1級⇒130～140文字
2級⇒110～120文字

「普通の措置＋ひと工夫」という記述をするとよい

×【悪い解答例】

・特に重要と考えた事項

人と物は同じですか？

3階建ての店舗の屋上であり高所作業となるため、作業者や工具、あるいは資材等の落下事故を防止することについて特に重点的に留意した。

・とった措置または対策

確認が他人任せになっていますね

作業者の落下防止については、安全帯をしっかり着用させるよう周知徹底して、足を踏み外した際の事故を未然に防いだ。工具や資材の落下防止については、防護ネットを隙間なく配置するように指示を出し、手を滑らせた際の事故を防ぐ対策をとった。

指示だけでは、措置になりません

1-7 ▶安全管理③［デリック作業の例］

前提とする工事の内容（デリック作業の例）

安全管理の課題を書き進めるにあたって、一例としてデリックを用いた作業を舞台設定とした場合の解答例を示します。前提となる工事案件の内容を以下に示します。

クレーンやデリック等の作業を前提案件とするのであれば、これらの作業ならではの要素をテーマに含めて考えるとよいです。デリック作業を舞台としているにもかかわらず、酸素欠乏症をテーマとして採用したりしてしまうと、関連性が低くもったいないからです。

工 事 名：東名東京料金所 ETC 設備工事
発注者名：○○電設株式会社
工事場所：神奈川県川崎市宮前区南平台 1-1
工　　期：平成 28 年 12 月～平成 29 年 1 月
概算金額：730 万円
工事概要：高速自動車国道の本線料金所において、計 6 レーンについて以下の電気通信工事を実施した。ETC 車線サーバ 6 台、空中線 18 基、他関係機器の新設。光ファイバ回線、および同軸ケーブル、電源ケーブル等の敷設を実施した。

クレーンやデリックの操作にあたっては、荷重ごとに必要な資格が定められていますから、適切な有資格者の配置が求められます。吊り荷の重量と吊り上げ荷重、そしてそれに応じた有資格者との関係性はキッチリと把握しておかなければなりません。

さらには、アウトリガと安全装置に関する理解も必須です。以下に「良い解答例」と「悪い解答例」を示しましたので、両者を比較して違いに敏感になっておきましょう。

■クレーン・デリックの、吊り上げ荷重と必要資格との関係

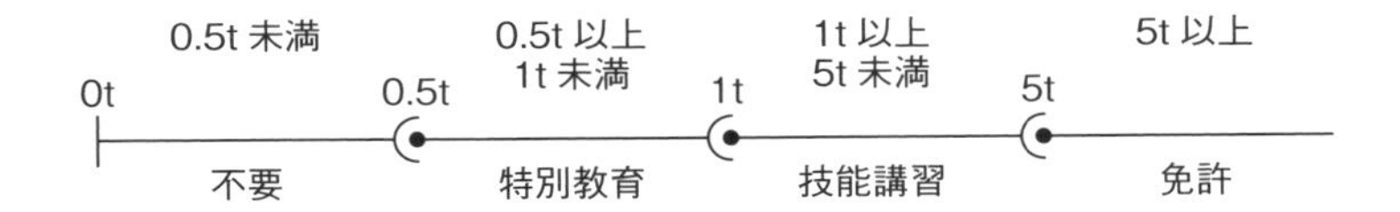

デリックの例

◎【良い解答例】

・特に重要と考えた事項

料金所の狭い現場でのデリック操作となるため、アウトリガのスペースを適切に確保することと、装置が密集しているため、接触させないよう留意した。

1 級⇒100 ～ 110 文字
2 級⇒70 ～ 90 文字

・とった措置または対策

具体的な資格名を記載

吊り上げ荷重１ｔ未満のため、特別教育修了者に担当させた。現場が狭く隣接レーンに跨ぐ形でＨ形鋼の仮設架台を設け、その上にアウトリガを張出した。また安全装置を解除しないよう、自身の目で再確認した。他の装置に接触しないよう、専任監視員を配置し、無事故で完成した。

「専任監視員の配置」は意外にも得点源

「自身の目で確認」は好キーワード！

1 級⇒130 ～ 140 文字
2 級⇒110 ～ 120 文字

×【悪い解答例】

・特に重要と考えた事項

何の作業かが曖昧

料金所の狭い現場でのデリック操作となるため、作業のスペースを適切に確保することと、装置が密集しているため、接触させないように留意した。

・とった措置または対策

具体的にどの資格？

デリックの操作は、必要とされる有資格者に担当させた。現場が狭いため隣接レーンに跨ぐ形でＨ形鋼の仮設架台を設け、その上にアウトリガを張出した。その際に安全装置を解除しないよう、口頭で注意喚起を行った。他の装置に接触しないよう、慎重に作業を実施した。

デリックの操作位置から死角はないのですか？

本当に解除されていませんか？

1-7 安全管理④［光ケーブル更新工事の例］

前提とする工事の内容（光ケーブル更新工事の例）

安全管理の課題を書き進めるにあたって、一例として構内光ケーブルの更新工事を舞台設定とした場合の解答例を示します。前提となる工事案件の内容は以下の通りです。

この案件は、事業場内における光ケーブルの更新作業です。複数の建屋からなる大規模な事業場となると、建屋内の配線のみならず、建屋間の配線も工事の対象となってきます。その中でも安全管理の課題として、建屋間をつなぐ架空配線をテーマに取り上げました。

工 事 名：イロハ静岡事業所構内光ケーブル更新工事
発注者名：（株）イロハ静岡事業所工務部
工事場所：静岡県掛川市領家 8014
工　　期：令和２年５月～９月
概算金額：6000 万円
工事概要：事業所の屋内および建屋間について光ケーブル計 31 本、延べ 11km を更新。これに伴うスプライスボックス 23 面の新設、機器収納ボックス 23 面の新設、ハブ 31 台を更新する電気通信工事を実施した。さらには、各ハブの下流方の有線 LAN ケーブルの更新を行った。

事業場の建屋間を有線でつなぐ場合には、架空配線と地中配線の２通りが考えられます。今回の例題では、架空で施工するケースを取り上げています。

架空配線であれば、一般的には高所作業となります。そのため作業者が墜落する事故の懸念がある他、工具や資材等を落下させる事故の可能性も考えられます。作業場所の周辺では一般の車両や通行者の存在があるため、落下事故の際に第三者を巻き込んでしまうおそれがあります。

これらの中でも、特に工具や資材等の落下事故である「飛来落下」に焦点を当てていきます。以下に「良い解答例」と「悪い解答例」を示しましたので、両者の違いを把握しておきましょう。

落下防止ネットの例

◎【良い解答例】

・特に重要と考えた事項

2m 以上は高所作業に該当

敷設ルートにおいて、建屋間をつなぐ架空配線は2m以上の高所作業となる。そのため飛来落下による災害が懸念された。特に通行止めができない構内幹線道路の横断部において、通行車両や通行者の安全を確保することを、重要と考えた。

第三者への配慮は好アピールポイント

1級⇒100～110文字
2級⇒70～90文字

・とった措置または対策

自身も参加していることを強調

作業に使用する工具は、紐で安全帯にくくり付けていることをTBM時に再確認した。万が一に備えて、道路横断部には落下防止ネットを設置。加えて専任の監視人を配置して、車両や通行者が通過する際には、拡声器にて上部の作業者に注意喚起を行った。この結果、無事故にて完工することができた。

「専任」の監視員は定番の好キーワード

1級⇒130～140文字
2級⇒110～120文字

×【悪い解答例】

・特に重要と考えた事項

架空配線と空中線とを混同

本工事は高さ4mにおける空中線設置工事であり、仮設足場を用いた高所作業となった。そのため、飛来落下災害を防止する必要があった。特に構内幹線道路は通行止めができないため、作業時に通行車両や通行人の安全確保が重要である。

・とった措置または対策

自分はTBMには不参加？

注意喚起はむしろ作業者に対して

飛来落下事故を防ぐために、所持する工具に紐やストラップを取り付けていることをTBM時に確認するよう指示した。また、道路横断部には落下防止ネットを張らせるとともに、監視人を配置して、通行人に注意喚起した。さらには作業床に資材を放置することなく、整理するように指示をした。

監視人は専任であるべき

指示することがゴールですか？
自ら現場の巡回はしていない？

「指示をした」はNGに近いキーワード。なるべく使わないほうがよい

1-8 工程管理①［工程管理の攻略法］

設問２以降で問われる「３管理」のうち、２つ目は工程管理である。自らが現場にて経験した工事案件の中から書きやすいものを選べばよい。当然ながら設問１にて設定した工事案件の内容とは、一貫性が必要である。相互の内容が矛盾しないように留意したい。

演習問題・解答例

演習問題 設問１にて設定した工事を施工することにあたり「工程管理」上、あなたが特に重要と考えた事項をあげ、それについてとった措置または対策を簡潔に記述しなさい。

ポイント 自分が経験した電気通信工事であっても、一作業者として参加した案件は避けたい。あくまで監督者としての目線で、あるいは下請の建設業者を指導する立場としての目線で論述していく必要がある。

前提とする工事の内容（搬入出通路が狭い現場の例）

工程管理の課題を書き進めるにあたって、一般論的な攻略法を示していきます。前提となる工事案件の内容は、一例として、以下の搬入出通路が狭い現場での作業を舞台設定としています。

工 事 名：本館 LAN 配線更新工事
発注者名：岡山〇〇記念病院
工事場所：岡山県岡山市北区丸の内２丁目３－１
工　　期：令和２年２月～３月
概算金額：860 万円
工事概要：地上 12 階建て総合病院にて、有線 LAN 配線を既設のカテゴリ 5e を撤去の上、カテゴリ７に更新するもの。一区間の撤去と敷設は同日に行い、回線断は５時間以内とすることが要求条件であった。工事規模は区間数 36 か所、合計 1080 本、総延長 75.6km である。

次の４ステップで書き進めるのが、秘伝の攻略法

■第１ステップ〔まずは目標〕

・特に重要と考えた事項

□□□□□□□□□□□□□□□□□□□□□□□□□□□□□□□□□□
□□□□□□□□□□□□、回線断５時間を守ることを重要と考えた。

まずは目標から書け

■第2ステップ〔その背景・経緯〕

・特に重要と考えた事項

搬入出用の通路は複数あるがいずれも狭く、館内の資材置場も狭かった。それゆえ、搬入出がボトルネックとなり、作業工程が遅れる懸念があった。そのため搬入出をスムーズに実施して、回線断5時間を守ることを重要と考えた。

なぜそう考えたのか、背景や経緯

文字数の調整はあとでよい

■第3ステップ〔とにかく結論〕

・特に重要と考えた事項

搬入出用の通路は複数あるがいずれも狭く、館内の資材置場も狭かった。それゆえ、搬入出がボトルネックとなり、作業工程が遅れる懸念があった。そのため搬入出をスムーズに実施して、回線断5時間を守ることを重要と考えた。

・とった措置または対策

一番言いたいのはココでしょ!!

□□、全ての作業日において回線断5時間を守って竣工できた。

とにかく結論を書け

■第4ステップ〔とった措置や対策〕

・特に重要と考えた事項

搬入出用の通路は複数あるがいずれも狭く、館内の資材置場も狭かった。それゆえ、搬入出がボトルネックとなり、作業工程が遅れる懸念があった。そのため搬入出をスムーズに実施して、回線断5時間を守ることを重要と考えた。

とった措置や対策は、一番最後でよい

・とった措置または対策

まず資材搬入と撤去品搬出の経路を分離し、両者が一筆書きとなる動線とした。そして当日使う資材の量を高い精度で算出し、必要とする最小限のみをリアルタイムで搬入する方式とした。これにより搬入をスムーズに実施でき、全ての作業日において回線断5時間を守って竣工できた。

施工経験記述で最も重要となるのは、第3ステップの「結論」の部分です。「ハッキリと書かなくても、ニュアンスで伝わるよね」との甘い認識は、通用しません。

1-8 ▶工程管理②［携帯電話基地局の例］

工程管理をテーマとして書き進めるにあたり、一例ではあるが、記述例を示したので参考にされたい。これらの雰囲気をつかんだ上で、柔軟に課題を組み立てていこう。

▶▶▶ 演習問題・解答例 ◀◀◀

演習問題 設問１にて設定した工事を施工することにあたり「工程管理」上、あなたが特に重要と考えた事項をあげ、それについてとった措置または対策を簡潔に記述しなさい。

前提とする工事の内容（携帯電話基地局の例）

工 事 名：鳩ヶ谷本町３丁目携帯電話基地局新設工事
発注者名：○○電工株式会社
工事場所：埼玉県川口市鳩ヶ谷本町３丁目 8-2
工　　期：平成 26 年８月～９月
概算金額：650 万円
工事概要：上記所在地の民間店舗の屋上に携帯電話基地局の新設工事を実施。内容は無線機３台と、伝送装置１台の据付け、空中線用鋼管柱３基の据付け、空中線の取り付け。および電源、光ケーブル、同軸ケーブルの配線等である。

工程管理とは、１行で表すと「当初の計画通りに工事を進め、完成させるための経過措置」といえます。これをさらに噛み砕いて解釈すると、「遅れを発生させない技術と、遅れが発生した際の回復処置」となるでしょう。

これを念頭として、自身が経験した中で「遅れそうになった案件」や、「実際に遅れて、それを工夫で回復させた案件」をテーマに選定して記述していきます。

工事が遅れる原因は大きく分けて２つ、現場での作業遅延と、材料の搬入遅延に分けられます。このどちらを記載しても構いません。

携帯電話基地局の例

◎【良い解答例】

・特に重要と考えた事項

具体的な材料名を記載したほうが好印象

板金業者へ空中線を取り付ける支柱３本を発注したが、製作が遅れる旨の連絡を受けた。計画工期を守るためには、予定通りに納品される必要があった。

目的をハッキリ記載しよう

1級⇒100～110文字
2級⇒70～90文字

・とった措置または対策

品質を下げていないことを強調しておく

支柱製作の遅延を回復するために板金業者の工場へ直接出向き、業者側の社内検査と当方の受入検査とを同時進行で実施することで、検査時間を短縮した。さらに塗装作業の一部を現地搬入後に行う形に変更し、工場の出荷を当初計画通り行うことができた。

これぞ「工夫」なり

1級⇒130～140文字
2級⇒110～120文字

×【悪い解答例】

・特に重要と考えた事項

工期に影響する重要な材料なのですか？

板金業者へ現場で使用する材料を発注したが、製作が遅れる旨の連絡を受けた。このままでは困るため、予定通りに納品される必要があった。

何がどう困るのでしょうか？

・とった措置または対策

交渉で無理を押し通すと、品質を下げられる懸念あり

支柱製作の遅延を回復するため板金業者へ連絡し、他案件より優先して出荷するよう交渉した。その結果、製作工程を見直してもらうことで出荷遅延を縮めることに成功した。さらに業者の社内検査の合格を根拠として、当方の受入検査を省略し、計画工期を満足した。

要求品質の満足を確認できますか？

1-8 工程管理③［躯体貫通管路配線の例］

前提とする工事の内容（躯体貫通管路配線の例）

工程管理の課題を書き進めるにあたって、一例としてコンクリート躯体を貫通する管路での配線作業を舞台設定とした場合の解答例を示します。前提となる工事案件の内容は以下の通りです。

前工程であるコンクリート躯体の施工の進捗度合いに影響を受けるため、前工程に遅延が発生した場合に、その遅延を引きずってしまいます。こういったケースでどれだけ遅延を取り戻せるかが、施工管理技士としての腕の見せ所です。

工 事 名：国道 248 号金園町 6 丁目無線設備設置工事
発注者名：国土交通省中部地方整備局道路部道路管理課
工事場所：岐阜県岐阜市金園町 6 丁目 2-2
工　　期：平成 30 年 7 月～ 8 月
概算金額：1200 万円
工事概要：国道 248 号線の上記場所において無線設備の新設にあたり、基礎工事、支柱建植、無線機 1 台および空中線 2 基の据付け、電源および同軸ケーブルの配線を実施した。配線は主にコンクリート躯体内を貫通する管路による。

屋外工事では、天候や不測の事態の影響を受けやすいといえます。そして前工程としてコンクリートの打設等があると、それらの完成を待たなければなりません。またコンクリートの乾燥は、気温によっても左右されるため、注意が必要です。埋設管路の配線工事にも同じことがいえますが、ある程度の土木工学の知識を持っておくとよいでしょう。

以下に「良い解答例」と「悪い解答例」を示しましたので、両者を比較して自身の経験を組み立ててみましょう。

躯体貫通管路配線の例

◎【良い解答例】

・特に重要と考えた事項

コンクリート躯体を貫通する管路への配線作業において、躯体打設の直前に発注者による設計変更がなされた。これにより計画工期の遅延が懸念され、工程を回復するための対策に留意した。

1級⇒100～110文字
2級⇒70～90文字

「発注者による変更」は言い訳のように聞こえないキーワード

・とった措置または対策

設計変更の結論まで待てないため、変更となる管路のルートに関して、想定できる最長の経路を満たす長さにケーブルを切出し、施工可能な箇所から優先して配線作業を実施した。これにて設計変更による遅延を回復させ、当初計画の工期にて竣工させることができた。

具体的な施策を示そう

「遅延を回復」は手柄のアピールポイント

1級⇒130～140文字
2級⇒110～120文字

×【悪い解答例】

・特に重要と考えた事項

自社の設計ミスともとれるため、印象が悪い

コンクリート躯体を貫通する管路への配線作業において、躯体打設の直前に設計変更が発生し作業を中断した。これにより計画工期の遅延が懸念され、工程を回復するための対策に留意した。

・とった措置または対策

具体性がないため訴求が弱い

設計変更の結論まで待てないため、変更となる管路のルートに関して、適切と考えられる長さにケーブルを切出し、施工可能な箇所から優先して配線作業を実施した。これによって設計変更による遅延を増大させることなく、当初計画の工期にて竣工させることができた。

これでは配線の日程は予定通りで、自分の手柄を強調できない

1-8 工程管理④［光ケーブル更新工事の例］

前提とする工事の内容（光ケーブル更新工事の例）

工程管理の課題を書き進めるにあたって、一例として構内光ケーブルの更新工事を舞台設定とした場合の解答例を示します。前提となる工事案件の内容は以下の通りです。

構内光ケーブルの更新作業を前提案件とするのであれば、同案件ならではの要素をテーマに含めて考えるとよいです。記載例にも示しましたが、建屋間をつなぐような屋外での架空線の延線工程は、降雨や降雪、あるいは強風等の悪天候による影響を受けやすい事例です。

工 事 名：イロハ静岡事業所構内光ケーブル更新工事
発注者名：（株）イロハ静岡事業所工務部
工事場所：静岡県掛川市領家 8014
工　　期：令和２年５月～９月
概算金額：6000 万円
工事概要：事業所の屋内および建屋間について光ケーブル計 31 本、延べ 11km を更新。これに伴うスプライスボックス 23 面の新設、機器収納ボックス 23 面の新設、ハブ 31 台を更新する電気通信工事を実施した。さらには、各ハブの下流方の有線 LAN ケーブルの更新を行った。

工程管理とは、1 行で表すと「当初の計画通りに工事を進め、完成させるための経過措置」といえます。これをさらに噛み砕いて解釈すると、「遅れを発生させない技術と、遅れが発生した際の回復処置」となるでしょう。

これを念頭として、自身が経験した中で「遅れそうになった案件」や、「実際に遅れて、それを工夫で回復させた案件」をテーマに選定して記述していきます。

記載例に示したように、屋外にて実施する工事は悪天候等の影響を受けやすく、工程が遅延する要因になりやすいです。以下に「良い解答例」と「悪い解答例」を示します。

光ケーブル配線の例

◎【良い解答例】

・特に重要と考えた事項

ココが更新と新設とで異なる点

本工事は回線の停止期間が定められており、工期の遅延が許されない制約があった。しかし屋外エリアの作業が全体の60％強を占めていたため、降雨による工程の遅れが懸念された。したがって、計画工期での完工を特に重要と考えた。

具体的な数値を示すと印象がよい

1級⇒100～110文字
2級⇒70～90文字

・とった措置または対策

相関が多いと工程の調整が難しくなる

計画工期を守る方策として、まず晴天時と雨天時の作業内容を、互いの相関が少ない形で分離した。そして事前の充分なシミュレーションを行って、円滑に実施できることを確認した。その結果、晴天時は屋外作業を優先して進め、雨天時は屋内作業のみを実施することが可能となり、当初計画にて竣工できた。

雨天でも工程を遅延させない方策

1級⇒130～140文字
2級⇒110～120文字

×【悪い解答例】

・特に重要と考えた事項

許容できる日数について、具体性がない

本工事は工期の遅延があまり許されない制約がある中で、屋外エリアの作業が多く、降雨による工期の遅れが懸念された。そのため、工事の内容に優先度をつけ、効率的な作業の進め方を検討し、周知徹底することが求められた。

これは対策の欄に記載すべき事項

・とった措置または対策

本当に全ての作業者に伝わっていますか？

本工事の施工に先立って、工期の延長がほとんど許されないことを作業者に周知徹底した。工期厳守の方策として、晴天時と雨天時の作業項目と作業範囲を図面上で設定し、晴天時にはその範囲を優先して進めることとした。これにより、当初の工期通りに完工することができた。

平面的な検討のみだと、両者の前後関係によって、実施が難しくなるおそれあり

「周知徹底」はNGに近いキーワード。なるべく使わないほうがよい

1-9 品質管理①［品質管理の攻略法］

「3管理」の最後は品質管理である。自身の現場経験の中から書きやすい案件を選択すればよいが、いうまでもなく、設問1にて設定した工事案件と内容がリンクしていなければならない。矛盾点が発生しないように気をつけたい。

演習問題・解答例

演習問題 設問1にて設定した工事を施工することにあたり「品質管理」上、あなたが特に重要と考えた事項をあげ、それについてとった措置または対策を簡潔に記述しなさい。

ポイント 自分が経験した電気通信工事であっても、一作業者として参加した案件は避けたい。あくまで監督者としての目線で、あるいは下請の建設業者を指導する立場としての目線で論述していく必要がある。

前提とする工事の内容（スプリアス発射の防止の例）

品質管理の課題を書き進めるにあたって、一般論的な攻略法を示していきます。前提となる工事案件の内容は、一例として、以下のスプリアス発射の防止を舞台設定としています。

工 事 名：堂平山無線中継所無線設備更新工事
発注者名：○○電気株式会社
工事場所：埼玉県比企郡ときがわ町大野
工　　期：平成30年4月～5月
概算金額：620万円
工事概要：上記所在地の国土交通省堂平山無線中継所の通信局舎内において、6.5GHz帯マイクロ波多重無線装置を既設のものから交換する工事を実施した。予備系の送信機1台のみが更新対象であり、給電線および空中線は既存設備を流用するものである。

次の4ステップで書き進めるのが、秘伝の攻略法

■第1ステップ〔まずはゴール〕

・特に重要と考えた事項

□□□□□□□□□□□□□□□□□□□□□□□□□□□□□□□、変調状態におけるスプリアス発射を50μW以下とすることを重要と考えた。

まずはゴールから書け

■第2ステップ〔その背景・経緯〕

・特に重要と考えた事項

無線送信設備において電波の質は重要な管理項目である。本工事は発注者からの指示で、特にスプリアス発射の防止を求められた。このため無線設備規則の規程に則り、変調状態におけるスプリアス発射を50μW以下とすることを重要と考えた。

なぜそう考えたのか、背景や経緯

文字数の調整はあとでよい

■第3ステップ〔とにかく結論〕

・特に重要と考えた事項

無線送信設備において電波の質は重要な管理項目である。本工事は発注者からの指示で、特にスプリアス発射の防止を求められた。このため無線設備規則の規程に則り、変調状態におけるスプリアス発射を50μW以下とすることを重要と考えた。

・とった措置または対策

□□□□□□□□□□□□、変調状態におけるスプリアス発射50μW以下を満たし、要求仕様どおり竣工した。

とにかく結論を書け

一番言いたいのはココでしょ!!

■第4ステップ〔とった措置や対策〕

・特に重要と考えた事項

無線送信設備において電波の質は重要な管理項目である。本工事は発注者からの指示で、特にスプリアス発射の防止を求められた。このため無線設備規則の規程に則り、変調状態におけるスプリアス発射を50μW以下とすることを重要と考えた。

・とった措置または対策

とった措置や対策は、一番最後でよい

送信機の出力波形をスペクトラム・アナライザで観測すると、わずかなスプリアス発射が認められた。このため出力ラインに低域フィルタを挿入することで、スプリアス領域での最大値を35μWまで抑制した。これにより、変調状態におけるスプリアス発射50μW以下を満たし、要求仕様どおり竣工した。

施工経験記述で最も重要となるのは、第3ステップの「結論」の部分です。同じフレーズを二度も書くのはくどい印象ですが、結論の省略は命取りになります。

1-9 品質管理②［ETC設備工事の例］

品質管理をテーマとして書き進めるにあたり、一例ではあるが、記述例を示したので参考にされたい。これらの雰囲気をつかんだ上で、柔軟に課題を組み立ていこう。

▶▶▶ 演習問題・解答例 ◀◀◀

演習問題 設問1にて設定した工事を施工することにあたり「品質管理」上、あなたが特に重要と考えた事項をあげ、それについてとった措置または対策を簡潔に記述しなさい。

前提とする工事の内容（ETC設備工事の例）

品質管理の課題の一例として、ETC設備（Electronic Toll Collection System：電子料金収受システム）工事における作業を舞台設定とした場合の記述例を示します。

ETC設備工事ならではの要素の1つとして、空中線の指向性について、非常にシビアな角度調整が求められます。これは、品質管理を行う際の絶好の材料といえます。

工事名：東名東京料金所ETC設備工事
発注者名：○○電設株式会社
工事場所：神奈川県川崎市宮前区南平台1-1
工期：平成28年12月～平成29年1月
概算金額：730万円
工事概要：高速自動車国道の本線料金所において、計6レーンについて以下の電気通信工事を実施した。ETC車線サーバ6台、空中線18基、他関係機器の新設。光ファイバ回線、および同軸ケーブル、電源ケーブル等の敷設を実施した。

ETC設備の中でも、電波を送受する空中線は、非常にデリケートな部位になります。本作例では空中線の指向角度の調整をテーマに選びました。

周波数は5.8GHz帯と高いため、電波の指向性は鋭い性質があり、さらに隣の車線に電波を漏らさないよう、空中線の正確な角度調整が求められます。

ETC用空中線の例

◎【良い解答例】

・特に重要と考えた事項

無線屋としての専門性を強調

車線の上部に設置する空中線は、電波の指向性を車線の中央に合わせる必要がある。そのため、特に左右方向の角度調整の精度を高めることについて、重要な留意点と考えた。

どこに着目したか

・とった措置または対策

具体的な施策

空中線の指向性は、試験用の受信空中線と測定器とで計測しながら調整を行う。この調整を進める上で3m幅の車線を0.1mごとに30のマスに区分し、中央のマスにおいて受信電界強度が最大となるように、空中線の角度調整を実施した。仕様の基準値を満足して竣工した。

あくまで工事の一環であることを強調　専門用語を含めよう

1級⇒130～140文字
2級⇒110～120文字

×【悪い解答例】

・特に重要と考えた事項

本当に無線屋ですか？

車線の上部に設置する空中線は、電波が飛ぶ方向を車線の中央に合わせる必要がある。そのため、角度調整の精度を高めることについて、特に重要な留意点と考えた。

角度調整は上下と左右があります。

・とった措置または対策

車線の幅員を把握せず？

空中線の指向性は、試験用の受信空中線と測定器とで計測しながら調整を行う。この調整を進める上で車線を複数のマスに区分した上で、最も中央に位置するマスにおいて電波の強さが最大となるように、空中線の角度を少しずつ調整して指向性を決定した。

本当に無線屋ですか？

調整が主体であると、工事と見なされないおそれがあるため注意

1-9 品質管理③［携帯電話基地局の例］

前提とする工事の内容（携帯電話基地局の例）

品質管理の課題を書き進めるにあたって、一例として携帯電話基地局を舞台設定とした場合の解答例を示します。前提となる工事案件の内容は以下の通りです。

携帯電話基地局での作業を前提案件とするのであれば、同案件ならではの要素をテーマに含めて考えるとよいです。例えば、電波法で定められている「電波の質」の基準を満たすための調整は、無線屋として必須の事項です。

工 事 名：鳩ヶ谷本町３丁目携帯電話基地局新設工事
発注者名：○○株式会社
工事場所：埼玉県川口市鳩ヶ谷本町３丁目 8-2
工　　期：平成 26 年８月～９月
概算金額：650 万円
工事概要：上記所在地の民間店舗の屋上に携帯電話基地局の新設工事を実施。内容は無線機３台と、伝送装置１台の据付け、空中線用鋼管柱３基の据付け、空中線の取り付け。および電源、光ケーブル、同軸ケーブルの配線等である。

品質管理とは、1行で表すと「契約にて要求された、仕様や基準を満たすための一連の措置」といえます。これをさらに噛み砕いて解釈すると、「仕様や基準から外さない技術と、外れた際の修復処置」となるでしょう。

これを念頭として、自身が経験した中で「要求仕様や基準から外れそうになった事例」や、「実際に外れてしまい、それを発見し修復させた事例」をテーマに選定して、記述していきます。

以下に「良い解答例」と「悪い解答例」を示しましたので、両者の違いを把握しておきましょう。

同軸ケーブルの例（20D）

◎【良い解答例】

・特に重要と考えた事項

規定値があるときは、数値を書くと好印象

仕様でVSWRが1.5以下と要求されていたため、これを守ることを特に重点的に留意した。前の現場にて雨天時に同軸ケーブルの中に水が浸入したり、同軸コネクタが規程トルクで締っていなかった事例による。

前の現場での失敗事例と対比するのも手である

1級⇒100～110文字
2級⇒70～90文字

・とった措置または対策

現場から退去する前に、施工途中のケーブルはその端部をビニールと防水テープで養生し、水が入らないように対策をとった。また、コネクタ締めの際は必ずトルクレンチを使用し、規程トルクを確認しながら作業を行った。これによりVSWR＝1.5以下を満足した。

専用工具の名前を含めよう

達成値を含めると印象よし

「養生」という単語は、品質管理の定番キーワード

1級⇒130～140文字
2級⇒110～120文字

×【悪い解答例】

・特に重要と考えた事項

具体的な数値は、把握せず？

VSWRを仕様の規定値内に収めるため、これを守ることを特に重点的に留意した。前の現場にて雨天時に同軸ケーブルの中に水が浸入したり、同軸コネクタがきちんと締っていなかった事例による。

どれだけの力で締めればよいですか？

・とった措置または対策

本当に現場経験ありますか？

現場から退去する前に、施工途中のケーブルはその端部をビニール袋とテープで覆い、水が入らないように対策をとった。また、コネクタ締めについては手締めのままとならないよう、工具を用いてきちんと締め付けた。これによりVSWRを規定値に収めた。

締め付けに基準はないのですか？

1-9 品質管理④［光ケーブル更新工事の例］

前提とする工事の内容（光ケーブル更新工事の例）

構内光ケーブルの更新作業を前提案件とするのであれば、これらの作業ならではの要素をテーマに含めて考えるとよいです。光ケーブルは芯線が非常に細く、構造的に弱いため、延線時には無理な力がかからないように特に留意が必要です。品質管理を記述する際の、良い材料といえるでしょう。

工 事 名：イロハ静岡事業所構内光ケーブル更新工事
発注者名：（株）イロハ静岡事業所工務部
工事場所：静岡県掛川市領家 8014
工　　期：令和２年５月～９月
概算金額：6000 万円
工事概要：事業所の屋内および建屋間について光ケーブル計 31 本、延べ 11km を更新。これに伴うスプライスボックス 23 面の新設、機器収納ボックス 23 面の新設、ハブ 31 台を更新する電気通信工事を実施した。さらには、各ハブの下流方の有線 LAN ケーブルの更新を行った。

品質管理とは、1 行で表すと「契約にて要求された、仕様や基準を満たすための一連の措置」といえます。これをさらに噛み砕いて解釈すると、「仕様や基準から外さない技術と、外れた際の修復処置」となるでしょう。

これを念頭として、自身が経験した中で「要求仕様や基準から外れそうになった事例」や、「実際に外れてしまい、それを発見し修復させた事例」をテーマに選定して、記述していきます。

光ケーブルの延線にあたっては、許容される張力や曲げ半径等、留意すべき点があります。これらを踏まえて、本設問では光ケーブルの更新工事をテーマに掲げてみました。

曲がり箇所が多いケーブルラックの例

◎【良い解答例】

・特に重要と考えた事項

通信品質に影響を与えなくとも、外装にも配慮すべき

ケーブルラックの縁や突起によって、敷設時に光ケーブルの外装が損傷する可能性があった。またケーブルラックは曲がり箇所が多く、延線時に過大な張力がかかる懸念がある。したがって、傷や過大張力から保護することを、特に重要と考えた。

有線工事では張力は重要な管理事項

1級⇒100～110文字
2級⇒70～90文字

・とった措置または対策

具体的な施策

お馴染みの好キーワード

ルート上の曲がり箇所や突起箇所はシートで養生し、ケーブルが損傷しないよう配慮した。人力による延線のため事前に合図を定め、かつ一定の速度で敷設を行うことで、曲がり箇所で局所的に過大な張力がかからないよう、慎重に作業を行った。この結果、品質問題はなく、要求仕様の通りに竣工した。

有線工事では大切な概念

1級⇒130～140文字
2級⇒110～120文字

×【悪い解答例】

・特に重要と考えた事項

表現がくどいため、もう少しコンパクトに

ケーブルラックへの入線作業において、ケーブルラックの縁や突起箇所に光ケーブルが擦れ、外装が損傷する可能性が考えられた。また、ケーブルラックは上下左右の曲がり箇所が30か所あるため、延線時に光ケーブルに過大な張力がかかる可能性がある。光ケーブルの傷や、過大張力から保護することを重点に作業をさせた。

・とった措置または対策

曲がり箇所とは関係ないのでは？

光ケーブルに関しては、ケーブルの外装ではなくテンションメンバに張力がかかるようにし、延線時の許容曲げ半径を光ケーブル仕上り外径の20倍以上を確保させ、延長を行わせた。以上の対策により、光ケーブルを損傷させることなく品質を保持することができた。

張力とは直接的には関係ないのでは？

施工管理留意事項

施工管理留意事項の学習にあたって

●出題の形式

〔設問１〕

電気通信工事に関する語句を選択欄の中から**２つ選び**，**番号**と**語句**を記入のうえ，**施工管理上留意すべき内容**について，それぞれ具体的に記述しなさい。

選択欄

１．資材の管理	２．機器の据付け
３．波付硬質合成樹脂管（FEP）の地中埋設	４．工場検査

1級も2級も、このような形式で出題されます。それぞれの対象となる語句について、安全管理、工程管理、品質管理のさまざまな面から、施工を進める上での留意点を記述していきます。

ただし、提示された語句の性質上、どちらかというと品質管理に重きをおいた解答になるケースが多そうです。品質管理、つまりは「仕様や基準から外さない技術」と、「外れた際の修復処置」を中心に見ていくとよいでしょう。

●1級と2級とで、設問のレベルはほぼ同じ

この施工管理留意事項は、１級と２級とで出題内容にほとんど差はありません。両級の

2次検定の2つ目の課題は「施工管理留意事項」であり、これは1級も2級もどちらも出題される。求められる合格者の基準は、1級は「高度の応用能力を有する」となっており、2級は「一応の応用能力を有する」と設定されていた。

設問の形式は、どちらの級も4つの語句が与えられる。その中から1級は2題を、2級であれば1題を選択して解答していく。解答すべき問題数に差はあるものの、本設問の難易度としては、どちらの級種であってもほとんど変わらないと考えてよい。

どちらも、設問では4つの語句が提示されます。この4つの語句の中から、1級の場合は2つを選択して解答することになります。

一方、2級であれば解答すべき語句は1つのみです。つまり両級では勉強すべき量に違いが出てきますが、レベル的には差はないといえるでしょう。どちらの級であっても、自身が得意とするジャンルを中心に勉強していけばよいです。

1級 ⇒ 4題提示され、2つを選択
2級 ⇒ 4題提示され、1つを選択

●記述の手法

採点のポイントは、要点を的確に記述しているかどうかです。出題された語句に対して、施工管理を行っていく上で留意すべき事項を簡潔に記述していきます。その際にあくまで、自身が監督者としての目線で書かなければなりません。一作業者の立場で見た場合の表現では、減点の対象になると考えられます。

具体的な学習にあたっては、次ページ以降のサンプルをご参照ください。

●文字量はあまり少なすぎないように

解答する上での文字量は、概ね1級は50～65文字。2級は60～75文字を目安にするとよいでしょう。文字の量は採点にはあまり影響しないと考えられますが、解答欄が想定以上に大きい場合に、空白が目立ってしまうのはあまり印象がよくありません。

ただし、年度によって解答欄の大きさが変化する可能性もあります。そのため、臨機応変に文字量を調節できるテクニックが必要となってきます。次ページ以降の複数のサンプルを組み合わせることで、なるべく空白がなくなるように工夫しましょう。

1級 ⇒ 50～65文字
2級 ⇒ 60～75文字

解答欄が罫線で示されている場合と、大きな四角枠の場合があります。特に後者の場合は、自分で行や文字の大きさをコントロールしなくてはなりません。

●出題傾向の分析●

この章で取り扱う設問について、昨年までに実施された検定での出題実績を以下に示します。これら出題の傾向を把握するとしないとでは、学習の効率に大きな差が出てきます。

闇雲に広い範囲に手をつけるよりも、これらの傾向を踏まえた上で、学習の優先順位を設けるのが戦略的な進め方といえそうです。

◆１級の出題傾向

年	出題項目
令和１年	資材の管理 機器の据付け★ 波付硬質合成樹脂管（FEP）の地中埋設 工場検査
令和２年	測定器の管理 機器の据付け★ 合成樹脂製可とう電線管（PF 管）の施工 工具の取扱
令和３年	工事現場における資材管理 打込み方式の金属拡張アンカーの施工 金属製電線管の露出施工 工場検査
令和４年	機器の据付け★ 二重天井内配線 ケーブルラックの敷設 電線等の防火区画の貫通
令和５年	機器の据付け★ 金属ダクト内配線 合成樹脂製可とう電線管（PF 管）の敷設 測定器の管理

⬇

令和６年	？

過去５年間に実施された設問を俯瞰すると、１級の傾向としては、★印を付けた「機器の据付け」が頻繁に出題されている現実が目立ちます。

したがって、これはまず最優先に取り組んでおくべきテーマとして、注目しておきましょう。

次に、この「機器の据付け」を除いて状況を整理すると、２年連続して同じ項目が出題されたケースがないことが読みとれます。

こうして考えると、昨年（令和５年）に出題された項目（表中の青文字）については学習の優先度を下げてもよさそうです。

繰り返し出題のパターンとしては、２～３年前のテーマが再登場していることが目立ちます。このことから、本年の検定対策としては、令和３年と４年に出題されたものを中心に据えて、手掛けていくとよいでしょう。

なお表中の赤文字は、令和４年以前に再出題があった項目を示しています。

◆２級の出題傾向

年度	出題項目
令和1年	資材の受入検査 OTDR（光パルス試験器）の測定 UTP ケーブルの施工 機器の搬入
令和2年	光ファイバの心線接続 合成樹脂製可とう電線管（CD 管）の施工 メタル通信ケーブルの接続 コンクリート穴あけ（貫通口）
令和3年	資材の受入検査 機器の据付け 一種金属製線ぴの施工 OTDR による測定
令和4年	工場検査 端子盤内の配線処理 硬質ビニル電線管（VE 管）の露出施工 管路の外壁貫通
令和5年	機器の搬入 高周波同軸ケーブルの接続 地中管路内への通信ケーブル配線 工具の取り扱い

⬇

令和6年	?

２級も同様に、過去５年間に実施された当該の設問群を俯瞰してみます。こちらは、２～４年前から出題されるパターンが見えてきます。

前年に出題された項目が、連続して出された実績はありません。

戦略としては、昨年（令和５年）に出題されたテーマ（表中の青文字）については学習の優先度を下げ、一昨年（令和４年）以前に出題されたものを中心に学習を進めていくのが、効率的かもしれません。

なお表中の赤文字は、令和４年以前に再出題があった項目を示しています。

どちらの級種も、ヤマを張って少数の項目に決めつける学習法は危険です。視野を広く持ちつつも、その中で優先順位を決めて、温度差をつけた勉強法が望ましいと考えられます。

1章 2章 3章 4章 5章 6章 7章 8章 索引

2-1 ［機器の据付け］

▶▶▶ 演習問題・記述例 ◀◀◀

演習問題

電気通信工事に関する次の語句について、施工管理上留意すべき内容について、具体的に記述しなさい。

・機器の据付け

ポイント▶ この「機器の据付け」は、1級においては過去の出題実績が極めて多い、要注目のテーマといえる。まずは最優先にマスターしておきたい。2級の受験者は、他のテーマと同水準の優先度でよい。

〔記述例〕

- **例1**

  据付けを行う現場の状況と施工図とを精査して、基準とする位置から距離を測って正確に墨出しを行う。

- **例2**

  据付ける位置の基礎やフリーアクセス床の状況を確認し、強度が不足すると認められる際は補強を行う。

- **例3**

  隣接する機器や周囲の壁を保護するために養生を行い、据付け時にはこれらに接触させないようにする。

- **例4**

  機器を吊り上げるにあたっては事前に一定の合図を定め、指揮者を配置してその者の指示によって行う。

- **例5**

  固定の際のボルトやナットは施工図で指定された規格のものを用い、トルクレンチを使用して締め付ける。

機器の据付けの例

2-2 ［工具の取り扱い］

▶▶▶ 演習問題・記述例 ◀◀◀

演習問題

電気通信工事に関する次の語句について、施工管理上留意すべき内容について、具体的に記述しなさい。

・工具の取り扱い

ポイント▶ 作業者の立場で、工具をどのように取り扱うかを記述するのではない。あくまで監督者としての目線で、事故を未然に防ぐためにどういった点に留意すべきかを論ずるものである。

〔記述例〕

• 例1

使用する前に工具の状況を点検し、不良や欠陥が認められる物は作業に用いない。

• 例2

新規に現場に持込んだ機械工具は、持込み時に検査を行い、合格した物のみを作業に使用する。

• 例3

電動機械工具は湿気のない場所に保管し、責任者を定めて定期点検を行い、結果を記録して保存する。

• 例4

高所作業で用いる工具は落下事故を防止するために、紐や粘着テープ等を用いて安全帯に紐付ける。

• 例5

漏電遮断器付きの電動機械工具は、作業開始前に動作テストを実施する。

• 例6

作業終了時には工具類は所定の工具箱に戻し、紛失がないように管理する。

電動機械工具の例

2-3 ［資材の受入検査］

▶▶▶ 演習問題・記述例 ◀◀◀

演習問題

電気通信工事に関する次の語句について、施工管理上留意すべき内容について、具体的に記述しなさい。

・資材の受入検査

ポイント▶ 作業者の立場で、資材の受入検査についてどのように留意するかを記述するのではない。あくまで監督者としての目線で、品質を確保するためにどういった点に着目すべきかを論ずるものである。

〔記述例〕

• 例1

品質管理手法として抜き取り検査と全数検査とがあり、発注者との契約にて定められた検査手法を用いる。

• 例2

全数検査の場合は搬入された資材の全数について検査を行い、合格したアイテムのみを受け入れる。

• 例3

抜き取り検査は、資材の各ロットごとにサンプルをランダムに抜き出し、合格したロットのみを受け入れる。

• 例4

受入検査は発注リスト、仕様書、設計図、製作図、各種関連法令等に適合しているかを見定める。

• 例5

資材がカタログ品であって、PSEマークやJISマークが確認できる場合は、品質面の検査は省略してよい。

• 例6

検査の結果、仕様違い、サイズ違い等の場合や、毀損や劣化、変形等が認められるときは受け入れない。

2-4 ［資材の管理］

▶▶▶ 演習問題・記述例 ◀◀◀

演習問題 電気通信工事に関する次の語句について、施工管理上留意すべき内容について、具体的に記述しなさい。

・資材の管理

ポイント▶ 資材は、通常は受入れ時に検査を行っているので、合格品しか搬入していないはずである。したがって、ここでの管理は、搬入後に想定される事象から品質を守ることに着目していく。

〔記述例〕

- **例1**
  万が一の盗難や紛失事故に備えて、品目リストを作成し、品種と数量を把握する。
- **例2**
  屋外で保管する場合には、風雨や直射日光の影響を受けないように、養生を確実に行う。
- **例3**
  引火性等の危険物の場合には、所定の有資格者に管理を行わせ、火気を厳禁とする。
- **例4**
  工程表を精査して直近で使う資材を手前に、当面使用しないものを奥に配置する等、整理整頓する。
- **例5**
  今後使用しないことが明らかな資材は、発注者の監督員の承諾を受けて、場外へ搬出する。

資材管理の例

2-5 ［電線相互の接続］

▶▶▶ 演習問題・記述例 ◀◀◀

演習問題

電気通信工事に関する次の語句について、施工管理上留意すべき内容について、具体的に記述しなさい。

・電線相互の接続

ポイント▶ 施工上の不具合が発見された場合でも、工事の進捗状況によっては手戻り作業が困難であったり、不可能となるケースもある。このようなリスクを避けるためにも、施工管理を行う上での留意点には着目しておきたい。

〔記述例〕

• **例1**

絶縁被覆をはぎ取る際は、ワイヤストリッパを用いて、心線に傷を付けないよう留意する。

• **例2**

電線の電気抵抗を増加させないようにし、電線の引っ張り強さを20％以上減少させないよう留意する。

• **例3**

電線に適合する圧着端子や圧着スリーブ、差込コネクタ等の接続材料を用いて電気的に確実に接続する。

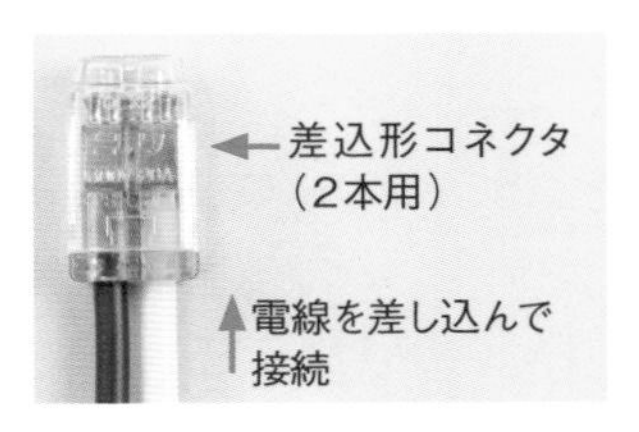

• **例4**

接続部分は、絶縁テープ等を用いて絶縁電線の絶縁物と同等以上の効果が得られるように充分に被覆する。

• **例5**

合成樹脂製可とう電線管や硬質ビニル管、金属管、金属製可とう電線管の内部では、接続や分岐をしない。

2-6 ［光ファイバの心線接続］

▶▶▶ 演習問題・記述例 ◀◀◀

演習問題

電気通信工事に関する次の語句について、施工管理上留意すべき内容について、具体的に記述しなさい。

・光ファイバの心線接続

ポイント▶ 光ファイバは非常にデリケートなものであるから、わずかな接続ミスが品質を大きく左右する。監督者としてどういった点に着目し、品質事故を未然に防ぐか、腕の見せ所といえる。

〔記述例〕

・例1

接続作業時に埃や粉塵等が混入しないよう、作業場所を清潔にし、状況によって作業用テントを設ける。

・例2

ファイバに曲げ癖があると、接続の際にV溝に正しく装填ができない恐れがあるため、癖を除去しておく。

・例3

メカニカルスプライス接続を行う場合は、接続損失の増大を防ぐため、先端部を確実に突き合わせる。

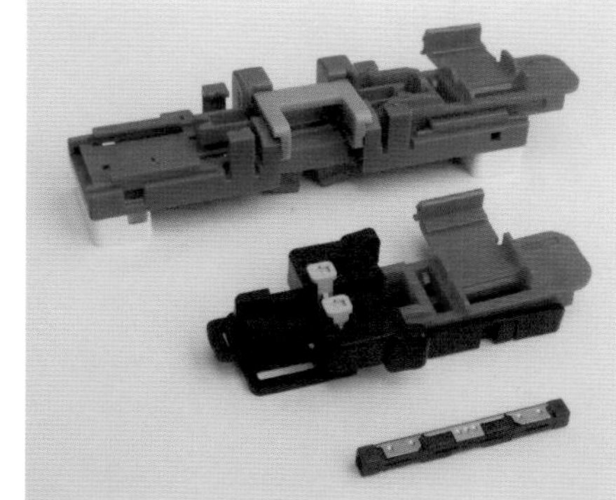

メカニカルスプライス素子と治具の例

・例4

融着接続を行う場合には、軸ずれや角度ずれ、間隙等が発生しないよう、コア部分を正確に位置決めする。

・例5

融着接続の際に接続箇所を保護するスリーブは、後から挿入できないため、必ず加熱する前に装着する。

2-7 [UTPケーブル]

▶▶▶ 演習問題・記述例 ◀◀◀

演習問題 電気通信工事に関する次の語句について、施工管理上留意すべき内容について、具体的に記述しなさい。

・UTP ケーブルの施工

ポイント▶ 施工管理における4大管理のうち、主に品質管理の視点で捉えていく。公的な技術基準や発注者の要求仕様を満足するためには、どういった点に留意するべきなのか。監督者としての能力が問われる部分である。

〔記述例〕

- **例1**
  施工中および竣工後におけるケーブルの曲げ半径は、規定値を下回らないようにする。
- **例2**
  延線作業の実施にあたっては、ケーブルに過度な張力が加わらないように注意する。
- **例3**
  強い外圧を受ける場所や、機械的振動を激しく受ける場所には施設してはならない。
- **例4**
  複数のケーブルを同時に延線する場合には、区別できるよう明瞭にマーキング等を行う。
- **例5**
  モジュラコネクタを取り付ける過程では、ツイストペアの撚り戻しは規定長を超えないようにする。

UTPケーブルの例

2-8 ［引込口の防水処理］

▶▶▶ 演習問題・記述例 ◀◀◀

演習問題 電気通信工事に関する次の語句について、施工管理上留意すべき内容について、具体的に記述しなさい。

・引込口の防水処理

ポイント▶ 施工上の不具合が発見された場合でも、工事の進捗状況によっては手戻り作業が困難であったり、不可能となるケースもある。このようなリスクを避けるためにも、施工管理を行う上での留意点には着目しておきたい。

〔記述例〕

- **例1**
地中引込みの場合には、水切りつばは漏れを防ぐために、点溶接ではなく全周溶接とする。

- **例2**
地中引込みの場合には、防水鋳鉄管と波付硬質ポリエチレン（FEP）管の接続は異種管路接続処理を行う。

- **例3**
地中引込みの場合には、防水鋳鉄管およびスリーブの水勾配は、水の侵入を防ぐため外下りとする。

- **例4**
架空引込みの場合には、電線管の引込み口での突き出し端部には、エントランスキャップを設ける。

- **例5**
架空引込みの場合には、水の侵入を防ぐために、外壁貫通部での電線管の周囲をモルタルで充填する。

地中引込みの例

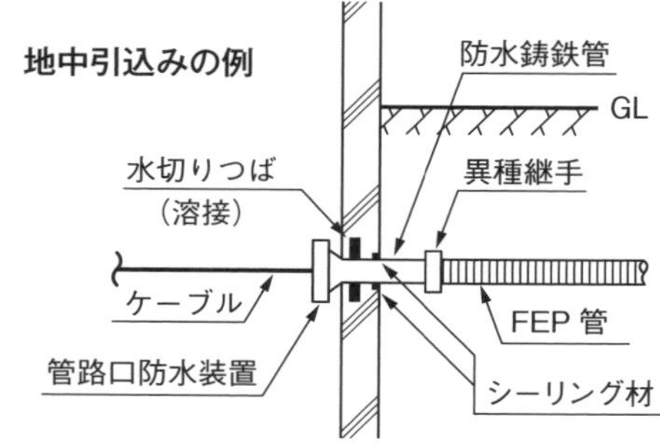

2-9 ［ケーブルラック］

演習問題・記述例

演習問題

電気通信工事に関する次の語句について、施工管理上留意すべき内容について、具体的に記述しなさい。

・ケーブルラックの施工

ポイント▶ 本設問は、あくまで監督者としての目線で、工事の品質を保つためにどういった点に留意すべきかを論ずるものである。作業者の立場で、ケーブルラックの施工について記述するのではない。

〔記述例〕

• 例1

屋外、または湿気が多い屋内に施設する場合は、アルミ合金製または耐食性能を有する仕様を用いる。

• 例2

水平に施設する場合の支持点間隔は、鋼製では2m以下、その他については1.5m以下となるようにする。

• 例3

支持する吊りボルトは、ラック幅600mm以下では径9mm以上、幅600mm超では径12mm以上とする。

• 例4

ケーブルラック相互の接続は継手金物を用いて確実に行い、かつボンド線を用いて電気的に接続する。

• 例5

通信線と強電流電線とを兼用とする場合にはセパレータを設けて、両者が接触しないように留意する。

ラックの中央に板状のセパレータを設置した例

2-10 ［硬質ビニル電線管（VE管）］

▶▶▶ 演習問題・記述例 ◀◀◀

演習問題 電気通信工事に関する次の語句について、施工管理上留意すべき内容について、具体的に記述しなさい。

・硬質ビニル電線管（VE管）

ポイント▶ 題意の「ビニル」とは、正確には「ポリ塩化ビニル」のことであり、合成樹脂の1つである。この材料で作られた電線管がVE管であり、材質は硬く、直線状で可とう性がない。

〔記述例〕

- **例1**
管の支持間隔は1．5m以下とし、管の端や接続点の付近は、それらから0．3m以内で支持する。

- **例2**
管を切断する際は斜めにならないように、管軸に対して直角になるように行う。

- **例3**
管相互を接続する場合は、ＴＳカップリングを用いるか、ガストーチによる熱加工での接続を行う。

- **例4**
管の内部において、電線の接続点や分岐点を設けてはならない。

- **例5**
管を曲げる際の半径は、管の内側において管内径の６倍以上を確保するよう留意する。

■電線管の形状と支持間隔

名　称	代表的な形状	支持点間距離
合成樹脂管 （可とう除く）		1.5m 以下

2-11 ［合成樹脂製可とう電線管（PF管）］

▶▶▶ 演習問題・記述例 ◀◀◀

演習問題

電気通信工事に関する次の語句について、施工管理上留意すべき内容について、具体的に記述しなさい。

・合成樹脂製可とう電線管（PF 管）の施工

ポイント▶ 題意の「可とう」とは、本来の表現をするならば「可撓」である。しかし漢字の表記が難しいため、一般には「可とう」の表現が広く用いられている。可とう電線管は材質が柔らかく、手で容易に曲げることができる。

〔記述例〕

- **例1**
  管の曲げ半径は、管の内側において管内径の6倍以上となるように留意する。
- **例2**
  管相互の接続をするにあたっては、ボックスあるいはカップリングを用いて行う。
- **例3**
  強い外圧を受ける場所や、機械的振動を激しく受ける場所には施設してはならない。
- **例4**
  管内において、電線に接続点や分岐点を設けないように設計しなければならない。
- **例5**
  管の支持間隔は1m以下とする。また管の端部付近においては、端部から0.3m程度の箇所で支持する。

■電線管の形状と支持間隔

名　称	代表的な形状	支持点間距離
可とう電線管		1m 以下

2-12 ［合成樹脂製可とう電線管（CD管）］

▶▶▶ 演習問題・記述例 ◀◀◀

演習問題 電気通信工事に関する次の語句について、施工管理上留意すべき内容について、具体的に記述しなさい。

・合成樹脂製可とう電線管（CD管）の施工

ポイント▶ CD管は、PF管と同様に、合成樹脂で作られた可とう電線管である。材質や形状はPF管に似ているが、このCD管は熱に弱い特性がある。そのため、区別するためにオレンジ色に着色されている。

〔記述例〕

・例1

耐候性や自己消火性がないためにコンクリート埋設専用であり、原則的に露出配管は行わない。

・例2

コンクリート埋込時は1.5m以下の間隔で固定し、ボックスやカップリング接続部は0.3m以内で支持する。

・例3

管の曲げ半径は、管の内側において管内径の6倍以上となるように留意する。

・例4

管を切断する際は斜めにならないように、管軸に対して直角になるように行う。

・例5

埋込配管の際は、CD管相互の直接の接続、およびCD管とPF管との直接の接続は行わない。

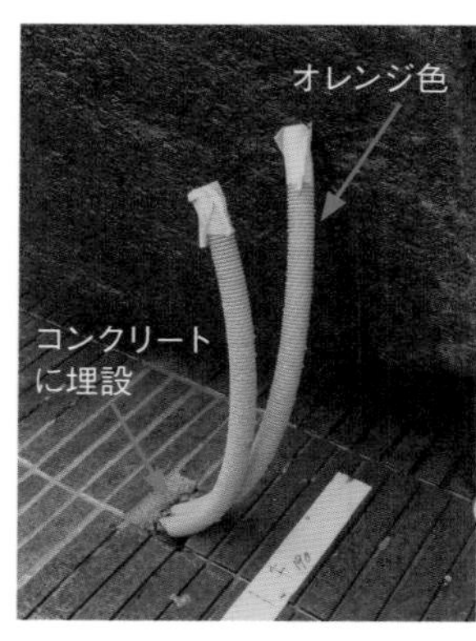

合成樹脂製可とう電線管（CD管）の例

2-13 ［金属製電線管］

▶▶▶ 演習問題・記述例 ◀◀◀

演習問題 電気通信工事に関する次の語句について、施工管理上留意すべき内容について、具体的に記述しなさい。

・金属製電線管の施工

ポイント▶ 主に普通鋼やステンレス鋼を材料とした筒状の配線材であり、管の肉厚の違いによって、薄鋼や厚鋼といった区分がある。いずれも材質は硬く、直線状で可とう性がない。

〔記述例〕

・例１

配管を強電流電線やダクト、水道管、ガス管等と接触させないように離隔距離を確保する。

・例２

配管を支持する際の支持点間隔は、２ｍ以下となるようにしなければならない。

・例３

管相互、またはボックスとの接続は、ねじ接続等により、堅ろうにかつ電気的に確実に行う。

・例４

配管を複数施設する際には直角方向にダクターを設け、ダクタークリップを用いて支持する。

・例５

金属配管工事で屋側電線路として施設することができるのは、木造以外の造営物のみである。

■電線管の形状と支持間隔

名　称	代表的な形状	支持点間距離
金属製電線管		2m 以下

2-14 [ライティングダクト]

演習問題・記述例

演習問題

電気通信工事に関する次の語句について、施工管理上留意すべき内容について、具体的に記述しなさい。

・ライティングダクトの施工

ポイント 本設問は、あくまで監督者としての目線で、工事の品質を保つためにどういった点に留意すべきかを論ずるものである。作業者の立場で、ライティングダクトの施工について記述するのではない。

〔記述例〕

- **例1**
  ライティングダクトを支持する際の支持点間隔は、2m以下となるようにしなければならない。
- **例2**
  乾燥した場所であり、かつ展開した場所または、点検できる隠ぺい場所でしか施設できない。
- **例3**
  ライティングダクト相互の接続は、堅ろうにかつ電気的に確実に行うよう留意する。
- **例4**
  造営材の開口部を貫通して、隣接する部屋や屋外へライティングダクトを通してはならない。
- **例5**
  充電部が露出しないように、ライティングダクトの終端部はエンドキャップで閉塞する。

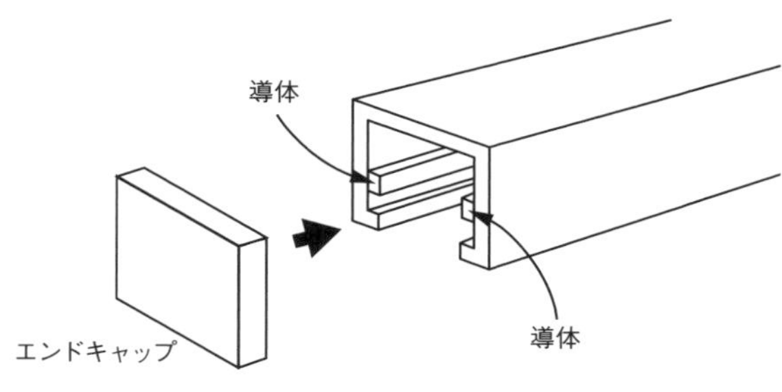

2-15 ［一種金属製線ぴ（メタルモール）］

演習問題・記述例

演習問題 電気通信工事に関する次の語句について、施工管理上留意すべき内容について、具体的に記述しなさい。

・一種金属製線ぴ（メタルモール）の施工

ポイント 線ぴの「ぴ」とは、「樋」という意味である。樋の内側に電線類を通すことから、このような名称で呼ばれている。一種と二種があり、収容できる電線の量に違いがあるため注意したい。

〔記述例〕

- 例1

線ぴを支持する際の支持点間隔は、1.5m以下となるようにしなければならない。

- 例2

乾燥した場所であり、かつ展開した場所または、点検できる隠ぺい場所でしか施設できない。

- 例3

ボックスや付属品と接続する際には、堅ろうに確実に行う。

- 例4

線ぴの内部において、電線の接続点や分岐点を設けてはならない。

- 例5

線ぴに収容する電線の本数は、10本以下としなければならない。

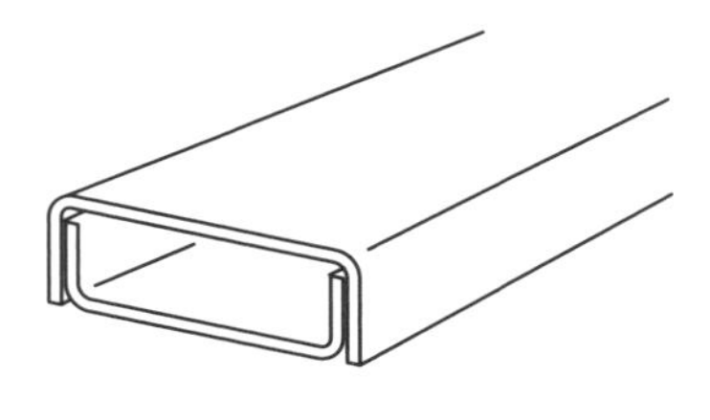

一種金属製線ぴ（メタルモール）の例

2-16 ［二種金属製線ぴ（レースウェイ）］

▶▶▶ 演習問題・記述例 ◀◀◀

演習問題

電気通信工事に関する次の語句について、施工管理上留意すべき内容について、具体的に記述しなさい。

・二種金属製線ぴ（レースウェイ）の施工

ポイント▶ 作業者の立場で、二種金属製線ぴ（レースウェイ）の施工について記述するのではない。あくまで監督者としての目線で、工事の品質を保つためにどういった点に留意すべきかを論ずるものである。

〔記述例〕

- **例1**
  線ぴを支持する際の支持点間隔は、1.5m以下となるようにしなければならない。
- **例2**
  乾燥した場所であり、かつ展開した場所または、点検できる隠ぺい場所でしか施設できない。
- **例3**
  ボックスとの接続、または線ぴ相互の接続は、堅ろうにかつ電気的に確実に行う。
- **例4**
  接続点が容易に点検できない場合には、線ぴの内部において電線の接続点を設けてはならない。
- **例5**
  原則としてD種接地工事が要求されるが、線ぴの長さが4m以下であれば、これを省略することができる。

■電線管の形状と支持間隔

名　称	代表的な形状	支持点間距離
金属線ぴ		1.5m 以下

2-17 ［FEPの地中埋設］

▶▶▶ 演習問題・記述例 ◀◀◀

演習問題
電気通信工事に関する次の語句について、施工管理上留意すべき内容について、具体的に記述しなさい。

・FEP（波付硬質合成樹脂管）の地中埋設

ポイント▶ 施工上の不具合が発見された場合でも、工事の進捗状況によっては手戻り作業が困難であったり、不可能となるケースもある。このようなリスクを避けるためにも、施工管理を行う上での留意点には着目しておきたい。

〔記述例〕

・**例1**

掘削した底部は平らに床付けを行い、地盤の状況によっては砕石基礎を敷き詰めたりする。

■掘削底部の床付の例

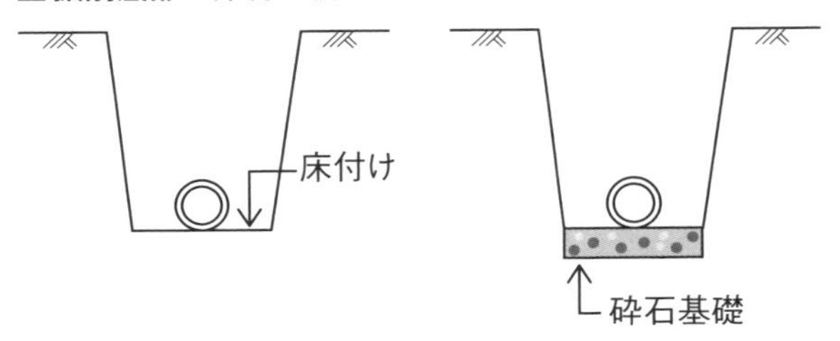

・**例2**

管路は、車両やその他の重量物による外部からの圧力に耐えられるように、堅ろうに敷設する。

・**例3**

管内部に通線するケーブルに支障が生じるような、曲げや蛇行等がないように管を敷設する。

・**例4**

管相互の接続は、専用の接続器具を用いて堅ろうに行い、管の内部に水が侵入しないようにする。

・**例5**

敷設した管路の周囲は、小石等を含まない土砂で、すき間がないように充分に突き固める。

● COLUMN ●

施工管理留意事項にまつわる施工例

•合成樹脂製可とう電線管(PF管)の施工

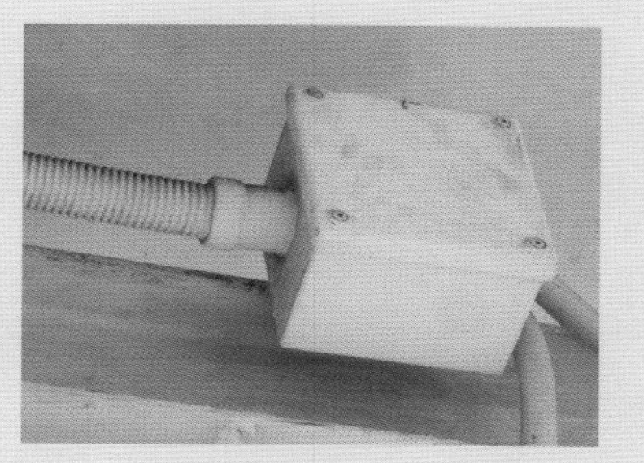

PF管とボックスとの接続

•金属製電線管の施工

屋側施設の金属製電線管の例

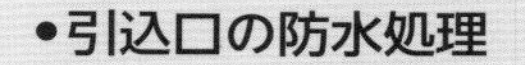

•引込口の防水処理

引込口の例

•ライティングダクトの施工

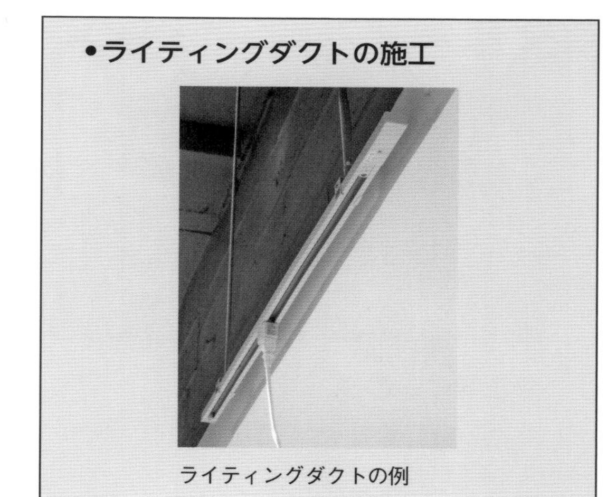

ライティングダクトの例

•資材の受入検査

資材受入の例

•FEPの地中埋設

FEPの地中埋設の例

JIS記号説明

JIS記号説明の学習にあたって

●出題の形式

どちらの級種も、問題として図記号が出題されます。この図記号に関して、まずは「名称」を記述します。選択肢から選ぶスタイルではありませんので、正式な名称を確実に覚え、自分の手で書けなければなりません。

次に、その図記号の「機能」または「概要」を説明します。こちらも同様に、自分の言葉で記述していきます。「機能」と「概要」の両方ではなく、どちらか一方のみを書く形となっています。

●1級と2級とで、設問のレベルはほぼ同じ

このJIS記号説明は、1級と2級とで出題内容にほとんど差はありません。両級のどちらも、設問では2つの図記号問題が提示されます。この2つの図記号に対して、1級の場合は2つとも解答すべき必須問題になります。したがって、自身の得意や苦手によって選ぶことはできません。

一方の2級は、出題された2問のうちから得意とする1問だけを選択して解答する形に

2次検定の3つ目の課題は、JIS記号の説明記述である。これは1級でも2級でも、どちらも出題される設問である。回路図や系統図等で用いられる図記号が提示されて、これの「名称」と、「機能」または「概要」を記述するものである。

設問の形式は、1級も2級もともに2つの図記号問題が与えられる。1級は、出題された2問を両方とも解答しなければならない。つまり2問とも必須問題である。1級は全ての受験者にとって避けて通れない設問であるから、しっかりとした学習が必要である。

2級は出題された2問のうちから、どちらか1問を選んで解答する選択制である。片方に苦手意識があれば無理に手をつけることはなく、得意なほうの問題に取り組めばよい。

設問の難易度としては、どちらの級種であってもあまり変わらないといえよう。

なります。苦手な問題を捨てることができますから、気持ちの上では1級よりは少し楽といえるでしょう。

1級 ⇒ 2問出題され、2問とも必須
2級 ⇒ 2問出題され、どちらか1問のみを選択

つまり両級では勉強すべき量に違いが出てきますが、レベル的には差はないといえます。2級の受験者は、自身が得意とするジャンルを中心に勉強していけばよいと考えられます。1級受験者は幅広く学習しましょう。

●記述の手法

採点のポイントは2つです。まず「名称」については、正式な名称を記載しなくてはなりません。通称や略称では、減点となる可能性があります。現場で使われている名称が正式なものかどうか、いま一度確認してみましょう。

もう1つのポイントは、「機能」または「概要」について要点を的確に記述しているかどうかです。出題された図記号に対して、その機器やデバイスが持つ役割や仕組み等を簡潔に記述していきます。具体的な学習イメージについては、次ページ以降のサンプルをご参照ください。

●文字量はあまり少なすぎないように

「機能」または「概要」に関しての文字量の目安は、両級とも概ね30 ~ 40文字程度が望ましいでしょう。文字の量は採点にはあまり影響しないと考えられますが、解答欄が想定以上に大きい場合には、空白が目立ってしまうのはあまり印象がよくありません。臨機応変に、文字量を調節できるテクニックも必要です。

●出題傾向の分析●

この章で取り扱う設問について、昨年までに実施された検定での出題実績を以下の一覧に示します。これら出題の傾向を把握するとしないとでは、学習の効率に大きな差が出ると考えられます。

	1級 1次検定	1級 2次検定	2級 2次検定
令和1年	テレビ共同受信設備 ・増幅器 ・混合器	電話設備 ・保安器 ・電話用アウトレット	・分電盤 ・ルータ
令和2年	構内電話配線 ・ボタン電話主装置 ・端子盤	テレビ共聴設備 ・混合分波器 ・4分配器	・プルボックス ・デジタル サービスユニット
令和3年	テレビ共同受信設備 ・4分配器 ・テレビアンテナ	インターホン設備 ・端子盤 ・電話機形 インターホン子機	・ナースコール 押ボタン ・パラボラアンテナ
令和4年	インターホン設備 ・電話機形 インターホン親機 ・スピーカ形 インターホン子機	防犯設備 ・カメラ ・カードリーダ	・親時計 ・ホーン形スピーカ
令和5年	放送設備 ・ホーン形スピーカ ・アッテネータ	CATV システム ・ヘッドエンド ・4分岐器	・認識部テンキー式 ・増幅器

令和6年	ー	?	?

闇雲に広い範囲に手をつけるよりも、これらの傾向を踏まえた上で、学習ポイントを絞っていくのが戦略的な進め方といえそうです。

◆１級の出題傾向

過去５年間に実施された、設問群を俯瞰してみます。１級の傾向としては、同じ１級の２次検定の過去期からは、再登場がないことが読みとれます。また、２級の２次検定からも再出題は見られません。

一方で、１級１次検定の、前年の過去問題からの引用（左ページの赤矢印）が確認できます。頻度は高くありませんが、これは１つのヒントになるのではないでしょうか。

こうして考えると、前年（令和５年）の１次検定で出された図記号は、本年のホットゾーンといえます。具体的には、「放送設備」が該当します。

実際に設問とされた「ホーン形スピーカ」や「アッテネータ」だけではなく、これらに関連する周辺機器も合わせて、最優先にマスターしておく必要がありそうです。

これ以外の対策としては、次ページ以降に掲出した例題等を、広く浅く取り組んでいくのが賢明といえるでしょう。

◆２級の出題傾向

２級も同様に、過去５年間に実施された設問を俯瞰します。こちらも１級に近い傾向が見られ、同じ２級の２次検定の過去期からは、再登場のないことがわかります。１級の２次検定からも再出題はありません。

そして、数は少ないですが、１級の１次検定の過去問題からの引用（左ページの青矢印）が認められます。

したがって学習の戦略としては、まず、１級の１次検定で出題された５年分は、優先的に攻めておきましょう。左ページの緑色の欄が、１級１次検定の実績となります。

それらを含めて、全体的な図記号の対策として、例題を次ページ以降に列挙しました。広く浅く手をつけていく形が、現実的といえます。

１級１次検定編をお持ちの場合は、１章のP17 ～ 25を合わせて復習しておくのも効果的です。なお、２級１次検定では、そもそも図記号の設問がないため、こちらは参考にすることができません。

どちらの級種も、ヤマを張って少数の項目に決めつける学習法は危険です。視野を広く持ちつつも、その中で優先順位を決めて、温度差をつけた勉強法が望ましいと考えられます。

3-1 ［電話設備］

▶▶▶ 演習問題・記述例 ◀◀◀

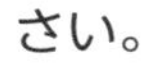

演習問題 下の略図に示す、電気通信工事の施工図等で使用される記号について、（ア）～（オ）の日本産業規格（JIS）の記号の名称を記入し、それらの機能または概要を記述しなさい。

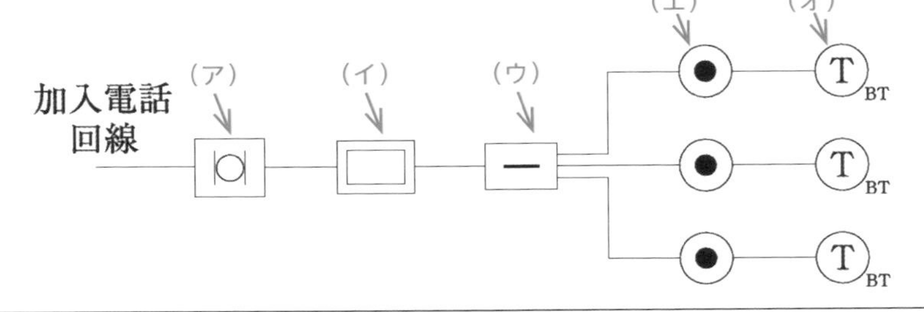

ポイント▶ お馴染みの、構内電話配線の標準的なデバイスを配した系統図である。各デバイスの名称と役割を、接続された位置関係も含めて理解しておきたい。

〔解答＆記述例〕

- （ア）

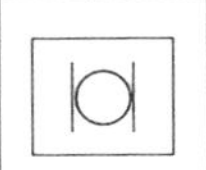

名称：保安器

機能：落雷等による異常電圧や誘導電流が侵入することを防ぎ、内部の通信機器を保護するための機器。

保安器の例

- （イ）

名称：ボタン電話主装置

機能：ビジネスフォンを構成する交換機であり、外線と内線との間、および内線相互間の通信を制御する。

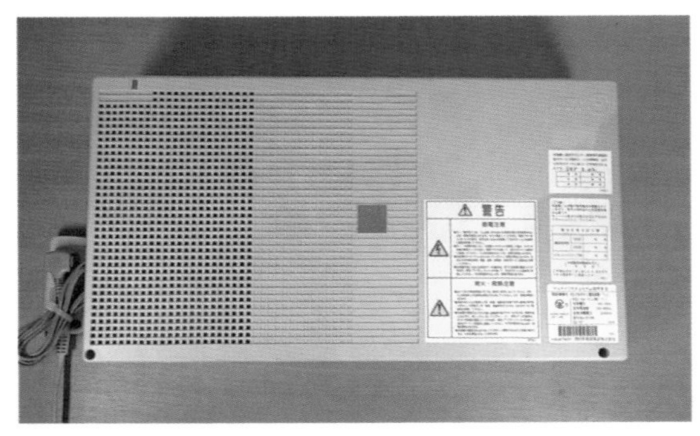

ボタン電話主装置の例

〔解答＆記述例〕

• (ウ)

名称：端子盤

機能：信号通信回線を分岐、あるいは中継する接続点であり、各端末からの配線を収容するもの。

端子盤の例

• (エ)

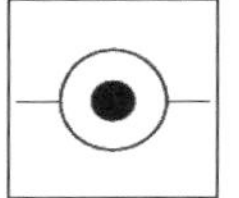

名称：電話用アウトレット

機能：電話機を電話回線につなぐためのモジュラージャックであり、一般的にはRJ11に対応したもの。

(内側の黒い丸の大きさは関係ない)

電話用アウトレットの例

• (オ)

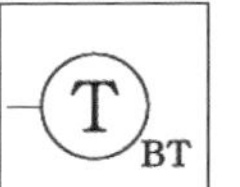

名称：ボタン電話機

機能：押しボタンにより電話番号を送出する電話機で、各ボタンごとに異なるトーンを関連付けている。

学習のヒント

・「ボタン電話主装置」と「ボタン電話機」は、名称は似ているが異なるもの
・「ボタン電話主装置」と「PBX」は、機能は似ているが異なるもの

3-2 [警報設備]

演習問題・記述例

演習問題 右の略図に示す、電気通信工事の施工図等で使用される記号について、(ア)、(イ)の日本産業規格(JIS)の記号の名称を記入し、それらの機能または概要を記述しなさい。

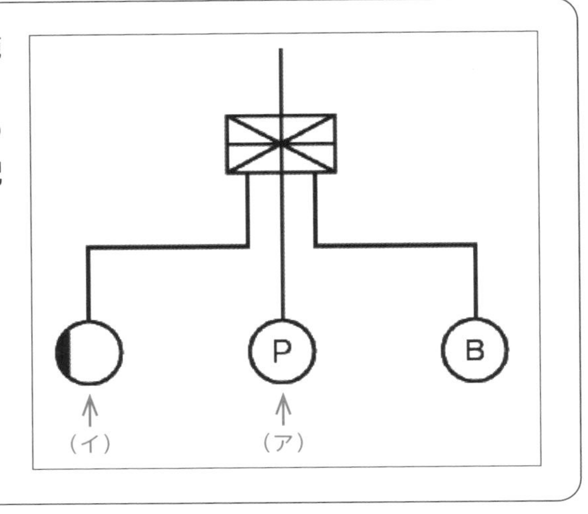

ポイント▶ この設問は、警報系統の回路における、標準的な機器を配した系統図の略図である。各機器の名称と役割を把握しておきたい。

〔解答&記述例〕

・(ア)

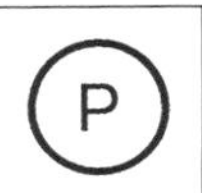

名称： P型発信機

機能： 火災の発見者が押しボタンを手動で操作することにより、受信機に火災信号を送信して通知する。

・(イ)

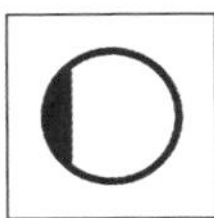

名称： 表示灯

機能： 赤色に常時点灯しており、夜間等の暗い環境においても発信機が所在する場所を確実に示す。

P型発信機の例

表示灯の例

▶▶▶ 演習問題・記述例 ◀◀◀

演習問題 右の略図に示す、電気通信工事の施工図等で使用される記号について、（ア）、（イ）の日本産業規格（JIS）の記号の名称を記入し、それらの機能または概要を記述しなさい。

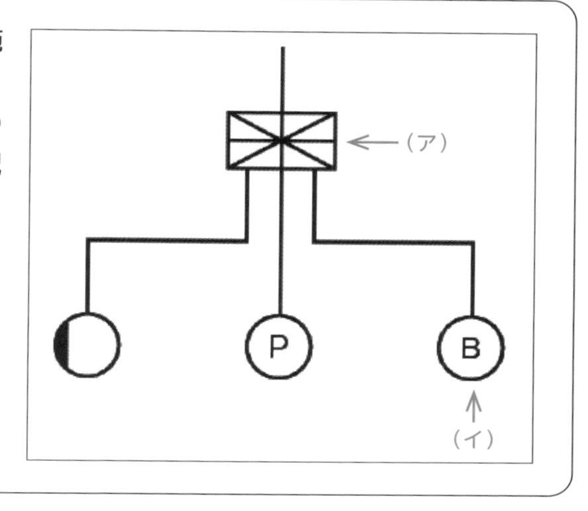

ポイント▶ 警報系統の略図である。系統図の形で出題されずに、記号のみの単体で示される場合も考えられるため、対処できるようにしておきたい。

〔解答＆記述例〕

・（ア）

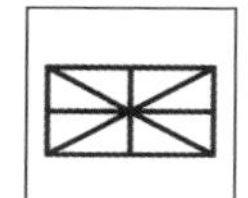

名称： 受信機

機能： 火災やガス漏れ発生時に、感知器や検知器から送信される信号を受信して音響装置を鳴動させる。

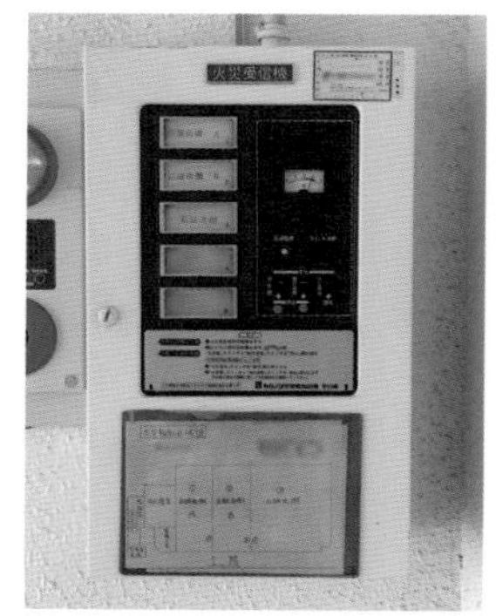

受信機の例

・（イ）

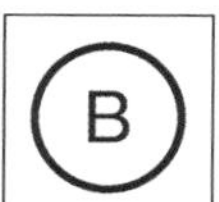

名称： 地区音響装置

機能： 受信機や中継器からの信号を受け、音響によって火災の発生を防火対象物の関係者に報知する。

地区音響装置の例

1章 2章 3章 4章 5章 6章 7章 8章 索引

3-2 ［警報設備］

▶▶▶ 演習問題・記述例 ◀◀◀

演習問題 右の略図に示す、電気通信工事の施工図等で使用される記号について、（ア）、（イ）の日本産業規格（JIS）の記号の名称を記入し、それらの機能または概要を記述しなさい。

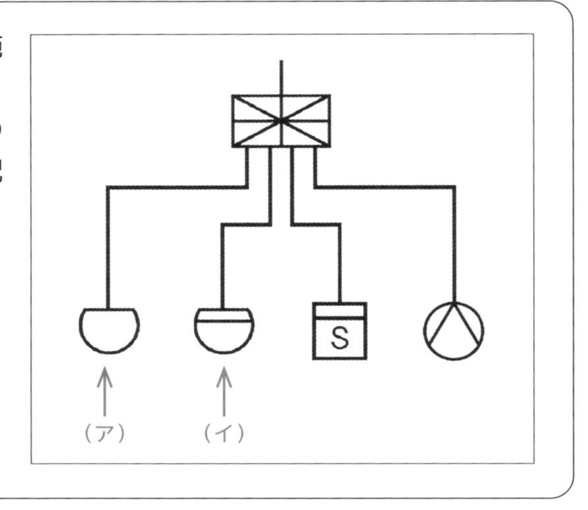

ポイント▶ 警報系統の回路における、標準的な機器を配した系統図の略図である。特にスポット型感知器は形状が似ているため、しっかりと区別しておきたい。

〔解答＆記述例〕

• （ア）

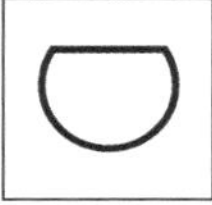

名称： 定温式スポット型感知器

機能： 感知器周囲の温度が一定値まで上昇したことで作動し、火災を検知して受信機へ報知信号を送信する。

定温式スポット型感知器の例

• （イ）

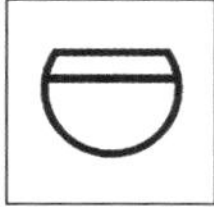

名称： 差動式スポット型感知器

機能： 感知器周囲の温度の上昇割合によって作動し、火災を検知して受信機へ報知信号を送信する。

差動式スポット型感知器の例

▶▶▶ 演習問題・記述例 ◀◀◀

演習問題 右の略図に示す、電気通信工事の施工図等で使用される記号について、（ア）、（イ）の日本産業規格（JIS）の記号の名称を記入し、それらの機能または概要を記述しなさい。

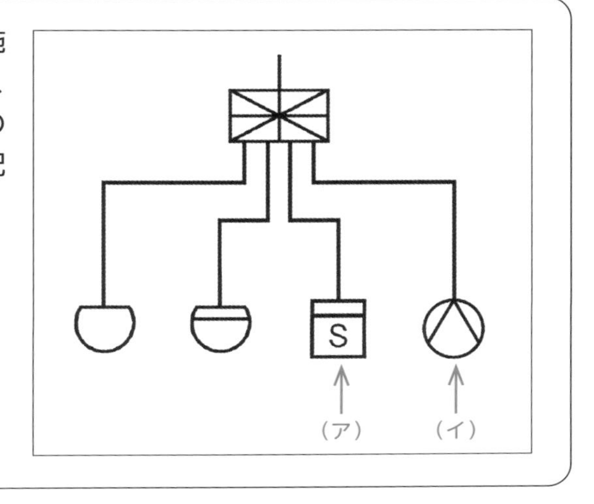

ポイント▶ 警報系統の略図である。系統図の形で出題されずに、記号のみの単体で示される場合も考えられるため、対処できるようにしておきたい。

〔解答＆記述例〕

・（ア）

S

名称：煙感知器

機能：燃焼生成物を捉えることで火災の発生を早期に検知し、報知信号を受信機へ送信する機器。

煙感知器の例

・（イ）

名称：炎感知器

機能：物が燃焼する際に発する炎の放射エネルギーを捉え、火災を検知して受信機へ報知信号を送信する。

3-3 [情報インタフェース]

▶▶▶ 演習問題・記述例 ◀◀◀

演習問題 右の略図に示す、電気通信工事の施工図等で使用される記号について、（ア）、（イ）の日本産業規格（JIS）の記号の名称を記入し、それらの機能または概要を記述しなさい。

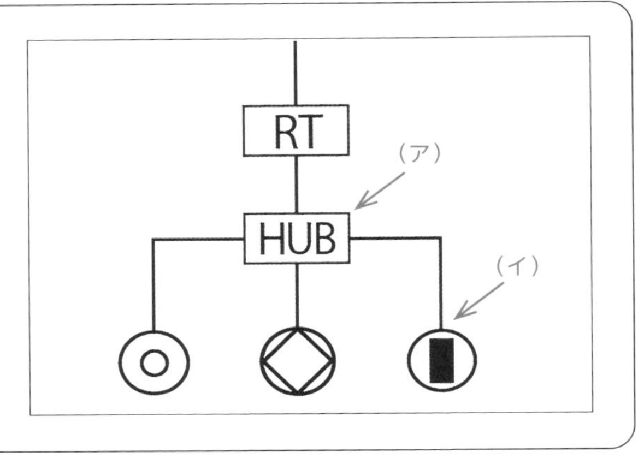

ポイント▶ 電気通信ネットワークを構成する、各設備に関する設問である。有線情報通信は線路配線によってさまざまな機器が接続され、全体網を構成している。

〔解答＆記述例〕

・（ア）

HUB

名称：「ハブ」または「リピータハブ」

機能：ネットワーク内で２台以上の機器を接続する場合に、信号を増幅して全ポートに出力して中継する。

・（イ）

名称：情報用アウトレット

機能：ネットワーク対応機器を有線LANにつなぐためのジャックであり、一般的にはRJ45に対応したもの。

ハブの例

情報用アウトレットの例

▶▶▶ 演習問題・記述例 ◀◀◀

演習問題 右の略図に示す、電気通信工事の施工図等で使用される記号について、（ア）、（イ）の日本産業規格（JIS）の記号の名称を記入し、それらの機能または概要を記述しなさい。

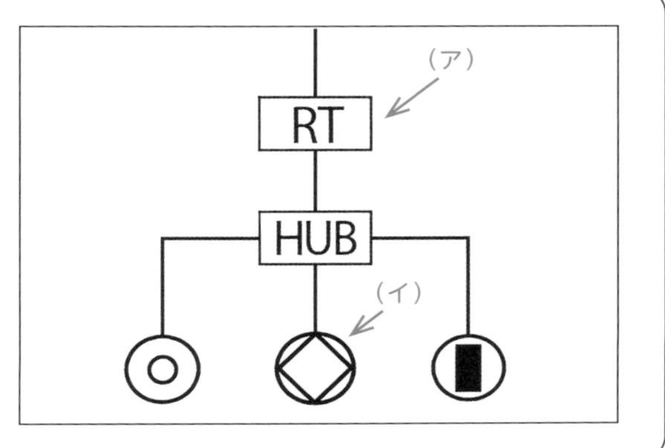

ポイント▶ これらは上図のように系統図の形で出題されるとは限らない。記号のみの単体で示されるケースもあるため、対処できるようにしておきたい。

〔解答＆記述例〕

・（ア）

RT

名称：ルータ

機能：ネットワーク層において機能し、受信したデータを解析して、IP アドレスによって転送経路を選択する。

・（イ）

名称：複合アウトレット

機能：有線 LAN 用のジャックのみならず、電話等他の複数の入出力口を1枚のプレートに集約したもの。

複合アウトレットの例

1章
2章
3章
4章
5章
6章
7章
8章
索引

3-4 ［インターホン設備］

▶▶▶ 演習問題・記述例 ◀◀◀

演習問題 下の略図に示す、電気通信工事の施工図等で使用される記号について、（ア）の日本産業規格（JIS）の記号の名称を記入し、それらの機能または概要を記述しなさい。

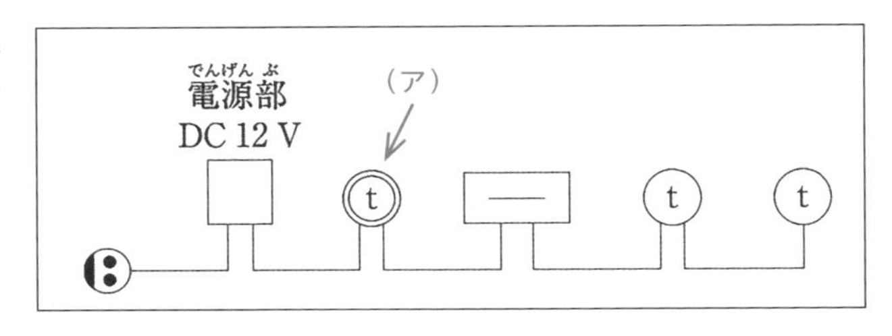

ポイント▶ 比較的身近な存在ともいえる、インターホン設備の標準的な系統図である。

〔解答＆記述例〕

・（ア）

名称： 電話機形インターホン親機

機能： 公衆交換電話網に接続せず、構内回線のみで通話が可能な通信設備で、子機側と通信を行うもの。

インターホン親機にはいくつかの種類があり、上記は受話器を有する「電話機形」の図記号です。以下に派生形を紹介します。

インターホン親機

これは一般論としてのインターホン親機の図記号。左側の黒い塗りつぶしは、「壁付」を意味します。

壁付拡声形インターホン親機の例

拡声形インターホン親機

受話器を有しない、拡声形のインターホン親機の図記号。これらのように、親機は二重丸となるのが基本です。

壁付拡声形インターホン親機

同じく受話器がない拡声形ですが、こちらは壁付タイプを表します。

> **学習のヒント**
> 内線電話機と混同しがちなので注意！
> ・インターホンは小文字の「t」
> ・内線電話機は大文字の「T」

▶▶▶ 演習問題・記述例 ◀◀◀

演習問題 下の略図に示す、電気通信工事の施工図等で使用される記号について、（イ）の日本産業規格（JIS）の記号の名称を記入し、その機能または概要を記述しなさい。

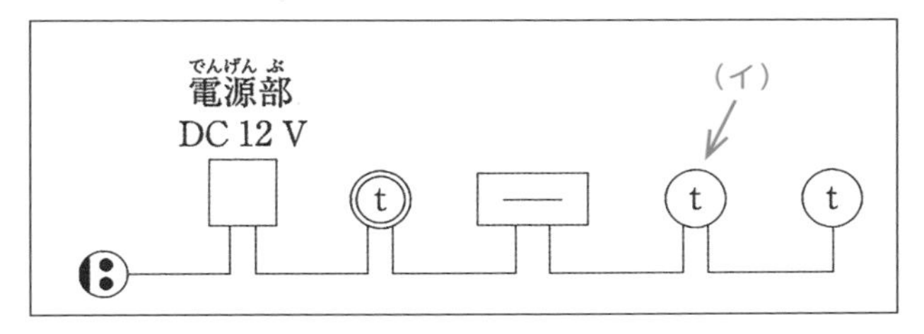

ポイント▶ インターホン設備の系統図。紛らわしい記号もあり、しっかり区別したい。

〔解答＆記述例〕

・（イ）

名称： 電話機形インターホン子機

機能： 公衆電話網に接続せず、構内回線のみで通話可能な通信設備で、親機や他の子機と通信を行うもの。

親機と同様に、インターホン子機にも種類がいろいろあります。上記は受話器を有する「電話機形」です。以下は派生形になります。

ドアホン

住宅の玄関ドアの外部に設けるインターホン子機を、特に「ドアホン」と呼んで区別する場合があります。

拡声形インターホン子機

受話器を有しない、拡声形のインターホン子機の図記号。これらのように、子機は外周が一重丸となります。

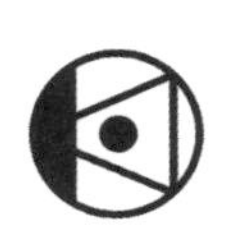

壁付拡声形インターホン子機

同じく受話器がない拡声形ですが、こちらは壁付のタイプです。

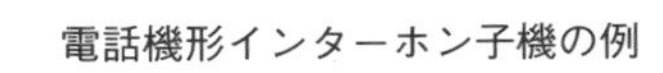

電話機形インターホン子機の例

3-5 ［放送設備］

▶▶▶ 演習問題・記述例 ◀◀◀

演習問題 下の略図に示す、電気通信工事の施工図等で使用される記号について、（ア）～（カ）の日本産業規格（JIS）の記号の名称を記入し、それらの機能または概要を記述しなさい。

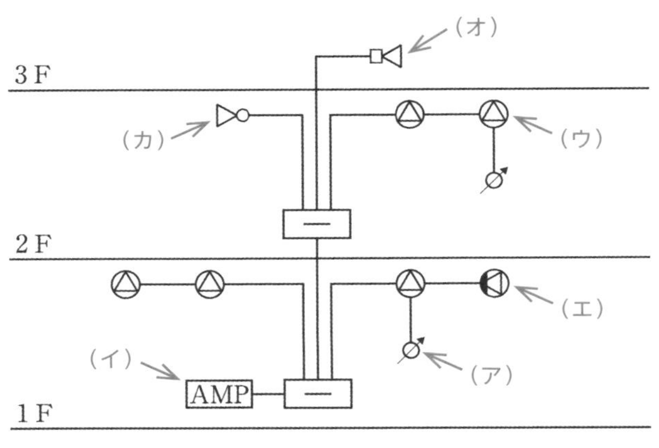

ポイント▶ 造営物の館内における、放送設備の標準的な機器を配した系統図である。図記号の単体で出題された場合でも、対処できるようにしておきたい。

〔解答＆記述例〕

・（ア）

名称： アッテネータ

機能： 内蔵された抵抗器によって、増幅器からの信号を適切なレベルまで下げるための減衰器。

アッテネータの例

・（イ）

AMP

名称： 増幅器

機能： 入力された音声等の信号を、増幅回路を用いて必要とするレベルまで増大させるための機器。

〔解答&記述例〕

• (ウ)

名称：スピーカ

機能：電気信号を空気の振動に変換し、人間が耳で聞こえる音として空間に放射するための機器。

（注：内側の△の角度は関係ない）

スピーカの例

• (エ)

名称：壁付スピーカ

機能：電気信号を音に変換して空間に放射する機器で、造営材の壁面に設置されているもの。

壁付スピーカの例

• (オ)

名称：ホーン形スピーカ

機能：電気信号を音に変換し、円形や方形のホーン構造によって平面波に近い音波を放射する。

ホーン形スピーカの例

• (カ)

名称：警報サイレン

機能：災害発生等の非常時に警報音を吹鳴させることで、多数の者に一斉周知するための機器。

警報サイレンの例

3-6 ［テレビジョン受信設備］

▶▶▶ 演習問題・記述例 ◀◀◀

演習問題 右の略図に示す、電気通信工事の施工図等で使用される記号について、（ア）、（イ）の日本産業規格（JIS）の記号の名称を記入し、それらの機能または概要を記述しなさい。

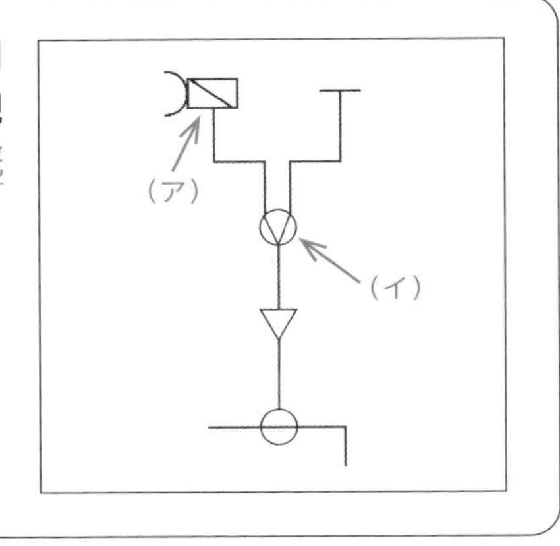

ポイント▶ 本設問は、テレビジョン放送における、受信設備の標準的なデバイスを配した系統図である。それぞれの記号の名称と位置関係、役割を理解しよう。

〔解答＆記述例〕

・（ア）

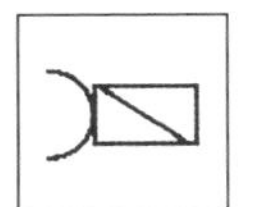

名称：「パラボラ空中線」または「パラボラアンテナ」

機能： BS 放送や CS 放送用の、人工衛星から到来する主に周波数 12GHz 帯用の空中線。

・（イ）

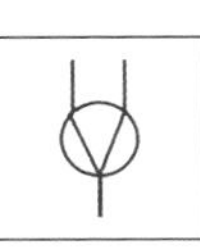

名称：「混合器」または「分波器」

機能： 複数のアンテナで受信した周波数の異なる信号を、1つの線路に混合するための器具。

パラボラ空中線の例（オフセットパラボラ）

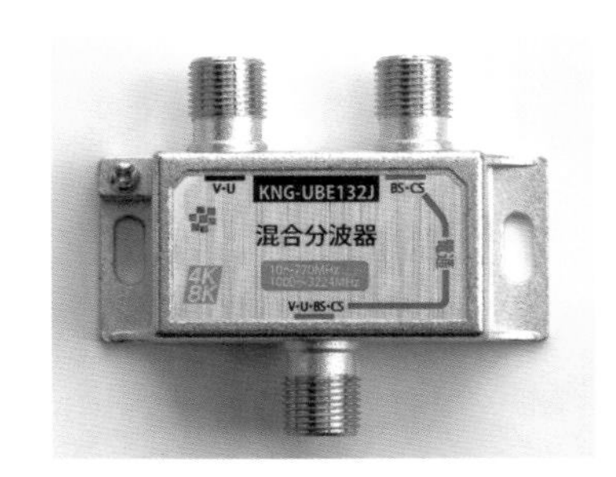

混合（分波）器の例

演習問題・記述例

演習問題 右の略図に示す、電気通信工事の施工図等で使用される記号について、（ア）、（イ）の日本産業規格（JIS）の記号の名称を記入し、それらの機能または概要を記述しなさい。

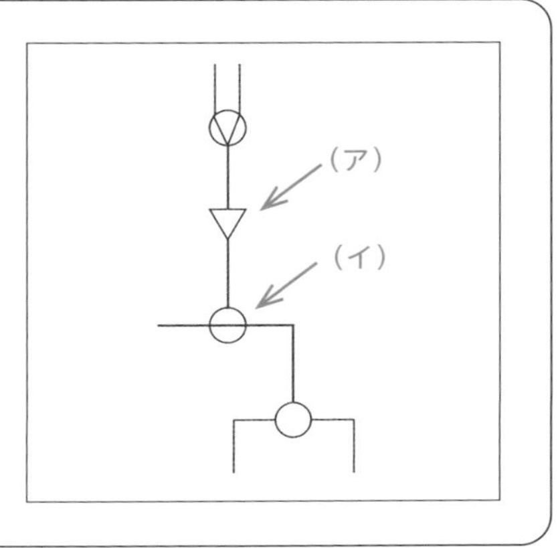

ポイント▶ テレビジョン受信設備に用いられるデバイスは、分波器や分配器等、名称が似ているものが多い。混同しないように、慎重に学習しておきたい。

〔解答＆記述例〕

- （ア）

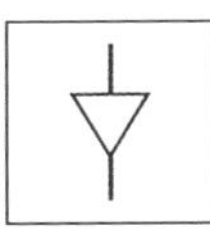

名称：「増幅器」、または「ブースター」
機能：受信した信号の伝送上の損失を補完し、信号の強さを必要なレベルまで増幅するもの。

- （イ）

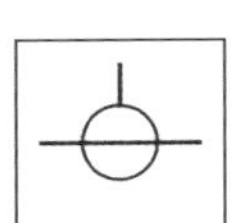

名称：「分岐器」または「２分岐器」
機能：幹線の同軸ケーブルからの入力信号を、等分配ではなく信号の一部を取り出すための器具。

円の中に直線が描かれている記号が、分岐器です。

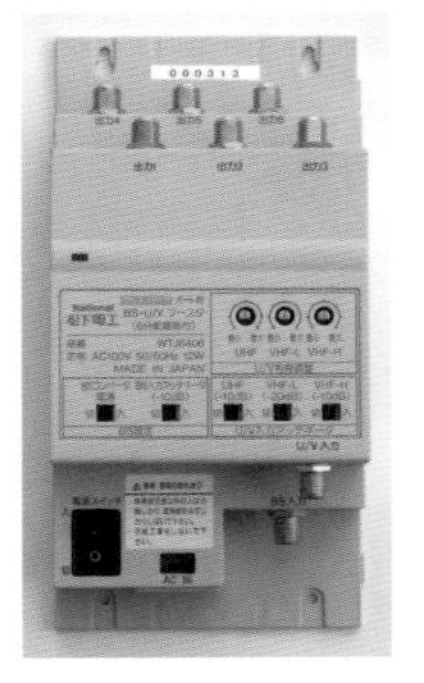
増幅器（ブースター）の例

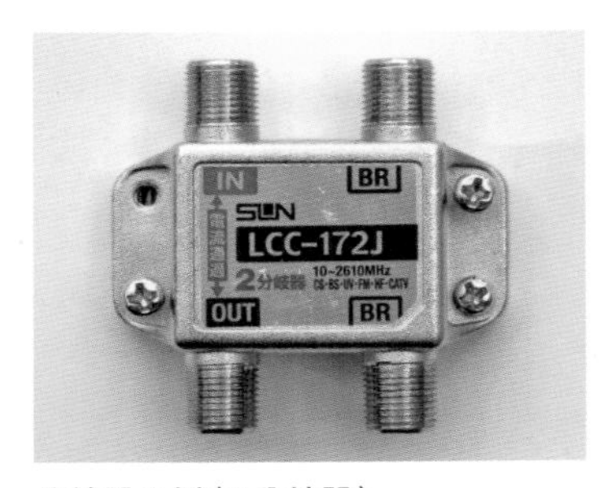

分岐器の例（２分岐器）

3-6 ［テレビジョン受信設備］

演習問題・記述例

演習問題 略図に示す、電気通信工事の施工図等で使用される記号について、（ア）、（イ）の日本産業規格（JIS）の記号の名称を記入し、それらの機能または概要を記述しなさい。

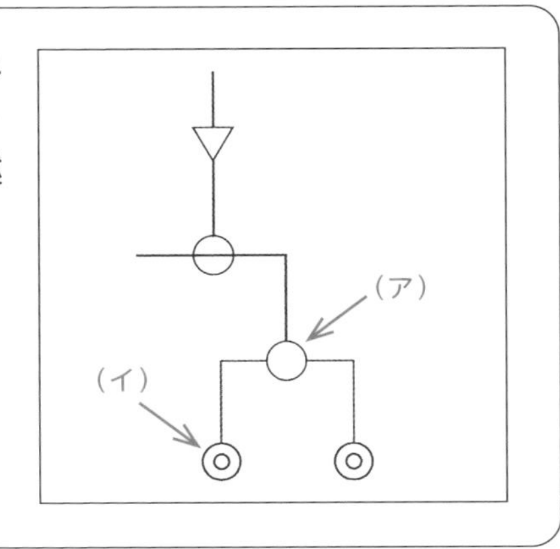

ポイント これらJIS記号説明は、系統図の形で出題されずに、記号のみの単体で示されるケースも見られる。その場合でも対処できるようにしておきたい。

〔解答＆記述例〕

・（ア）

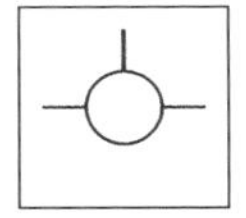

名称：「分配器」または「2分配器」

機能：入力された信号を出力方へ等しく分配するデバイスである。2分配型であれば2等分する。

円の中に直線が描かれていない記号が、分配器です。

・（イ）

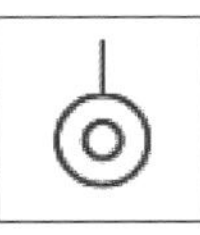

名称：「直列ユニット」または「テレビユニット」

他に「テレビコンセント」等の名称もあります。

機能：同軸ケーブルを差し込みテレビ電波を取り出す共聴用接続ユニットで、中間型と端末型がある。

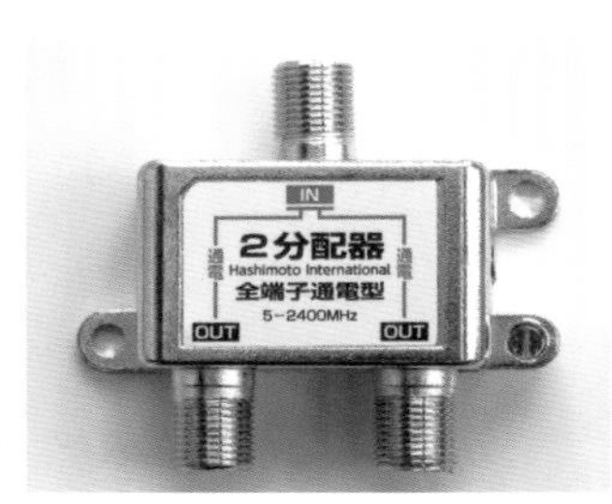

分配器の例
（2分配器）

直列ユニットの例

3-7 ［配線一般］

▶▶▶ 演習問題・記述例 ◀◀◀

演習問題

下に示す、電気通信工事の施工図等で使用される記号について、（ア）、（イ）の日本産業規格（JIS）の記号の名称を記入し、それらの機能または概要を記述しなさい。

（ア）

（イ）

ポイント▶ 標準的な機器の図記号であるが、ここでは系統図の形で掲示されていない。そのため記憶が曖昧のときに、周囲の配置から推定することができない。

〔解答＆記述例〕

- （ア）

名称： 分電盤

機能： 引き込んだ電力をさまざまな負荷へ分配する装置であり、過電流や漏電の際には回路を遮断する。

分電盤の例

- （イ）

名称： 制御盤

機能： 各機械への電源供給や、保護、制御を目的とした自動で制御するための装置を収容するもの。

3-7 ［配線一般］

演習問題・記述例

演習問題 下に示す、電気通信工事の施工図等で使用される記号について、（ア）、（イ）の日本産業規格（JIS）の記号の名称を記入し、それらの機能または概要を記述しなさい。

（ア）

（イ）

ポイント▶ 系統図として示されない設問例である。しかも図記号が酷似しているため、紛らわしい。混同しないように、しっかりと区別しなければならない。

〔解答＆記述例〕

• （ア）

名称： 配電盤

機能： 商用電力系統から高圧電力の供給を受け、これを降圧して分電盤や制御盤へ電気を送るもの。

配電盤の例

• （イ）

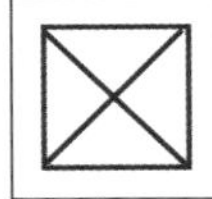

名称： プルボックス

機能： 電線の分岐部分に設置される箱であり、配線ルートに屈曲箇所が多い場合にも設けられる。

プルボックスの例

▶▶▶ 演習問題・記述例 ◀◀◀

演習問題 下に示す、電気通信工事の施工図等で使用される記号について、（ア）、（イ）の日本産業規格（JIS）の記号の名称を記入し、それらの機能または概要を記述しなさい。

（ア）

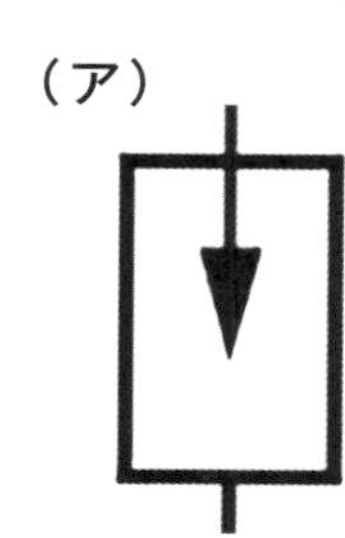

（イ）

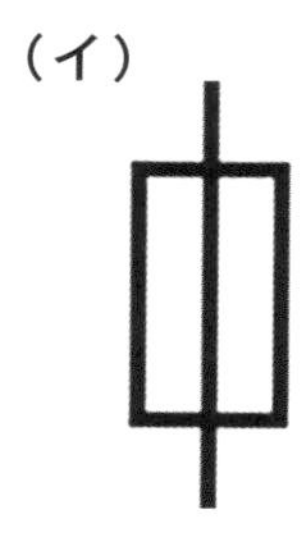

ポイント▶ 比較的標準的な機器の図記号であるが、系統図の形で表現されていない。このように単体で出題されても、答えられるようにしておきたい。

〔解答＆記述例〕

・（ア）

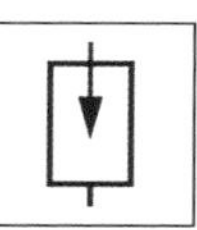

名称：「避雷器」または「アレスタ」

機能：落雷時の雷サージによる異常電圧を大地に放電し、回路や負荷装置を保護するためのデバイス。

・（イ）

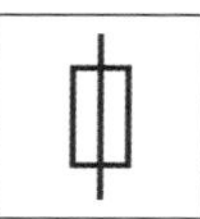

名称：ヒューズ

機能：短絡や過負荷等によって定格電流値を超えた際に、発熱、溶断して回路を遮断するデバイス。

避雷器の例

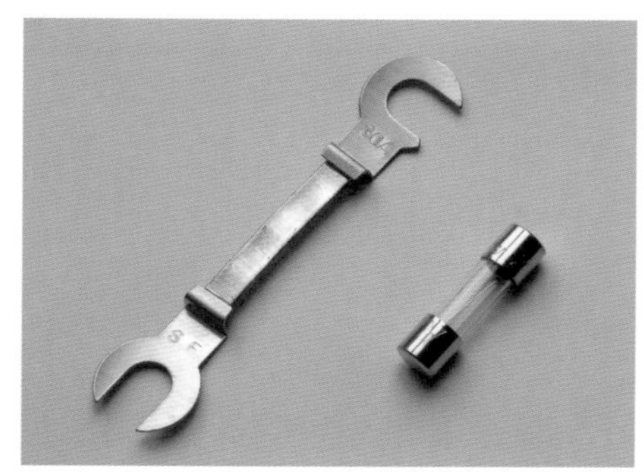

ヒューズの例

ネットワーク工程表

2次検定の4つ目の課題は、「ネットワーク工程表」である。このネットワーク工程表は、施工管理技術検定の定番問題としてお馴染みである。これは「アロー形ネットワーク工程表」、または「アロー・ダイヤグラム」等と、いくつかの名称が存在するが、内容は同じものである。

ネットワーク工程表は、1級でも2級でも、どちらも出題される設問である。しかし両級種では出題の形式が異なるため、ここでは注意が必要である。

2級は、「4-2・所要工期の算出」に提示した例題のように、完成されたネットワーク工程表が図示されて、これをベースに工期等の計算を進めていく。ネットワーク工程表にかかわる設問としては、比較的標準的なものといえる。

ネットワーク工程表の学習にあたって

ネットワーク工程表に関する設問は、得意とする人と、苦手な人とがハッキリと分かれる分野でもあります。特に難易度が高いといわれる所以は、「ダミー作業」の存在にあります。これをいかに攻略するかが、ネットワーク工程表に取り組む上での鍵といえます。

それでは、まず基本的な事項のおさらいとして、図表の形式について再確認しておきます。以下にシンプルな事例を提示します。左が作業開始日で、右が作業終了日。時間は左から右へ進みます。

実線の矢印が作業を意味し、丸印は各作業を整理するための結合点です。破線による矢印は「ダミー作業」となります。ダミー作業とは実際に作業は存在しませんが、前後の作業の順序関係を示すためのものになります。あるいは工数0日の作業と捉えてもよいでしょう。

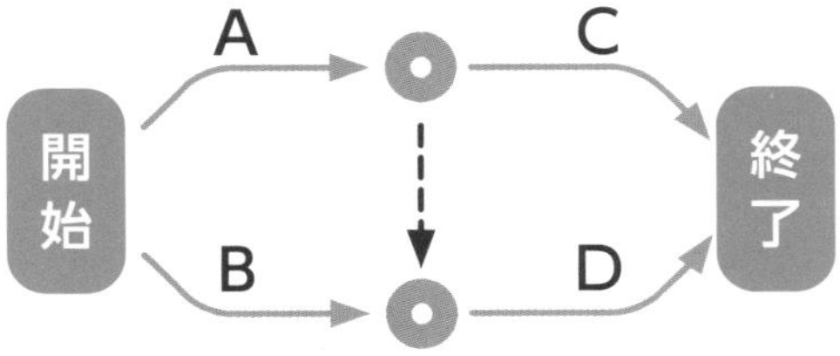

一方の1級では「4-1・工程表の組立」に示した例題のように、工程表の本体は図示されない。各作業の前後関係と、それぞれの作業の所要日数だけが条件として与えられて、ここから自分自身の手でネットワーク工程表を組み立てなければならない。難易度としては、かなり高度と考えてよい。

つまり1級の場合は、2級のようにネットワーク工程表から工期等を算出する前段階として、工程表の本体を組み立てる作業が控えていることになる。工程表を組み立てた後は、2級の場合と同様に進めていけばよい。

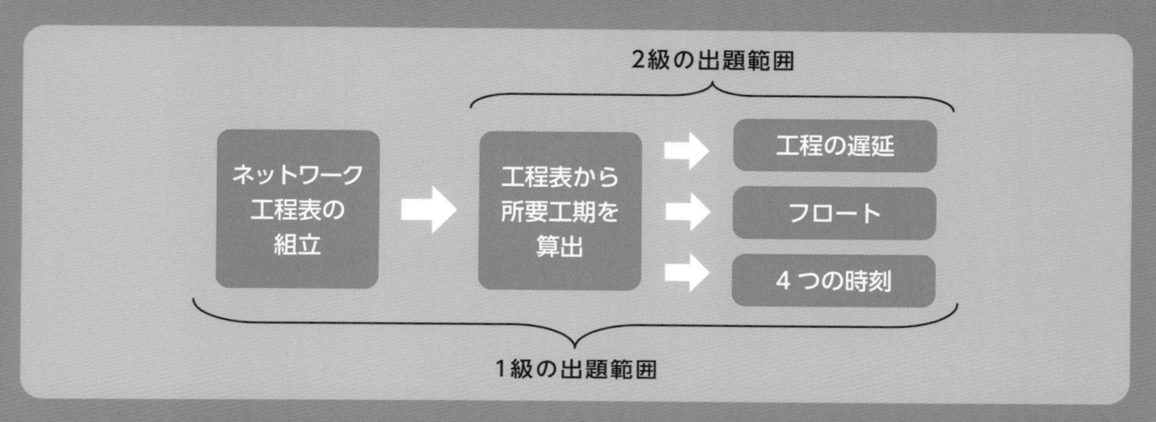

そして所要工期を算出した後に、工程が遅延した場合の修正工期算出、4つの時刻、そしてフロートの算出等、一歩掘り下げた設問が待っている。

この事例から読み取れる情報としては、

・AとBは、並行して同時作業ができる
・Aが完了してからでないと、Cに着手できない
・Bが完了してからでないと、Dに着手できない
・CとDは、並行して同時作業ができる
・CとDの両方が完了したら、全体の作業が終了

ここで厄介なのが、中央の上から下へ向かう破線です。これがダミー作業です。このダミー作業が意味するところは、「Aが完了してからでないと、Dに着手できない」なのです。ネットワーク工程表を苦手とする人が、最もつまずきやすい箇所になります。ちなみに、BとCとの間には、互いに制約はありません。

丸印（結合点）の中に数字が記載される場合もありますが、これは単に区別するためだけのものです。数字の順序関係を表しているわけではありませんので、騙されないようにしましょう。

4-1 [工程表の組立 1級のみ]

1級では、工程表の本体は図示されない。各作業の所要日数と、それぞれの作業の前後関係だけが条件として提示され、ネットワーク工程表を組み立てなければならない。難易度としては、かなり高度である。

つまり1級の場合は、ネットワーク工程表から工期等を算出する前段階として、工程表の本体を組み立てる作業が控えていることになる。工程表を組み立てた後は、2級の場合と同様に進めていけばよい。

演習問題 下記の条件を伴う作業から成り立つ電気通信工事のネットワーク工程表について、所要工期は何日かを解答欄に記入しなさい。

条件

1．　作業A、B、Cは、同時に着手でき、最初の仕事である。
2．　作業D、Eは、Aが完了後着手できる。
3．　作業F、Gは、B、Dが完了後着手できる。
4．　作業Hは、Cが完了後着手できる。
5．　作業Iは、E、Fが完了後着手できる。
6．　作業Jは、Fが完了後着手できる。
7．　作業Kは、G、Hが完了後着手できる。
8．　作業Lは、I、J、Kが完了後着手できる。
9．　作業Lが完了した時点で、工事は終了する。
１０．　各作業の所要日数は、次のとおりとする。
A＝4日、B＝7日、C＝3日、D＝5日、E＝9日、F＝5日
G＝6日、H＝6日、I＝7日、J＝3日、K＝5日、L＝5日

ポイント▶ ネットワーク工程表の組立は、かなり難易度の高い課題といえる。しかしコツを掴み、回数を重ねることで必ず解けるようになるので、根気よくアプローチすることが大切である。
1級受験者であるから、図表の基本的な見方等は当然にマスターしている前提で進めていく。もしも不安が残っている場合には、この設問に着手する前に、次節の「所要工期の算出」を先に克服してからにしたい。

▶▶▶ 解答・解説 ◀◀◀

具体的に演習問題の中身を見ていきましょう。基本的には、時間の進み方と同じ方向に見ていけばよいです。ただし、ダミー作業が発生する箇所で多くの人が悩むことになりますので、そこから先は、ゴールから逆算するという高度なテクニックも存在します。

まずは、ネットワーク工程表の形を組み立てることだけに専念します。各作業の日数は形が出来上がった後に追記するだけですので、今は気にしなくて構いません。

条件1● 作業A、B、Cは、同時に着手でき、最初の仕事である

最初に、左に開始地点を設けます。3つの作業A、B、Cは、同時並行で進めることが可能ですから、開始地点から3本の矢印が右方向へ出ることになります。丸印（結合点）の中に数字を記入する必要はありません。

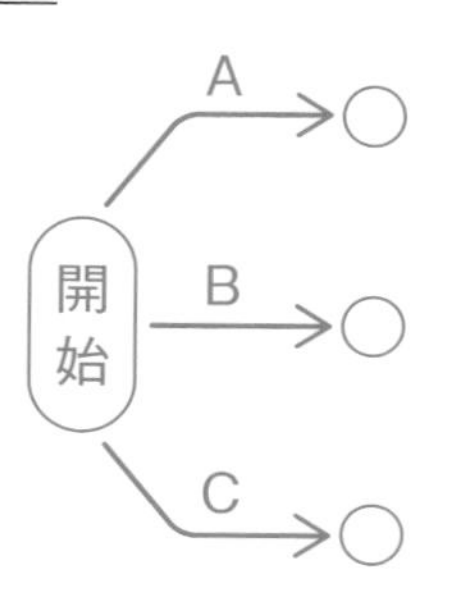

条件2● 作業D、Eは、Aが完了後着手できる

次に、作業Aの完了後に、2つの作業DとEに着手することになります。したがって、Aが到達した丸から、2本の矢印が右方向へ向かいます。ここまでは、特に難しい要素はありません。

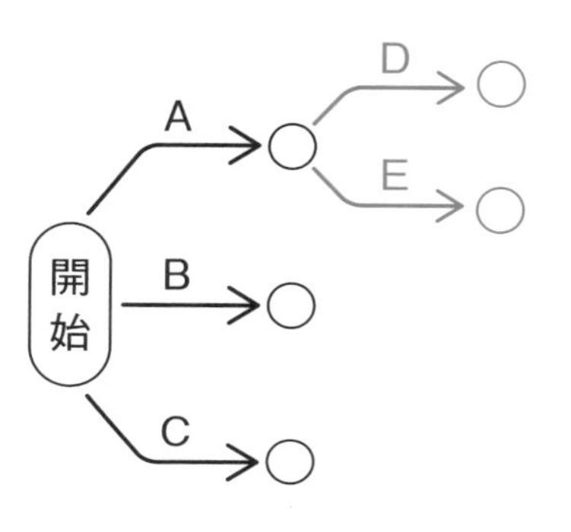

条件3● 作業F、Gは、B、Dが完了後着手できる

このあたりから、少しずつ難しくなってきます。「BとDの完了後」という制約が出てきました。こういったケースでは、Bの矢印とDの矢印は、直接1か所の結合点（丸印）に収束することが原則です。または、その後の進行条件によって、ダミー作業（破線）を伴って1か所の結合点に収束する場合もあります。

ここでは、ひとまずBとDの矢印は1か所に収束するものとして考えてみましょう。作業Bのポジションを固定するならば、DとEの位置関係を逆にすると都合がよさそうです。その上で、作業Dの矢印が真下へ向かうように引き直します。

こうすると、BとDが1か所に収束できます。この後、FとGの矢印が右へ向かうことになります。

条件4● 作業Hは、Cが完了後着手できる

これは簡単ですね。作業Cが到達した結合点を起点として、その先に作業Hの矢印を追記するだけです。1級受験者のレベルであれば、ここまでは特に問題なく進んでこれたのではないでしょうか。

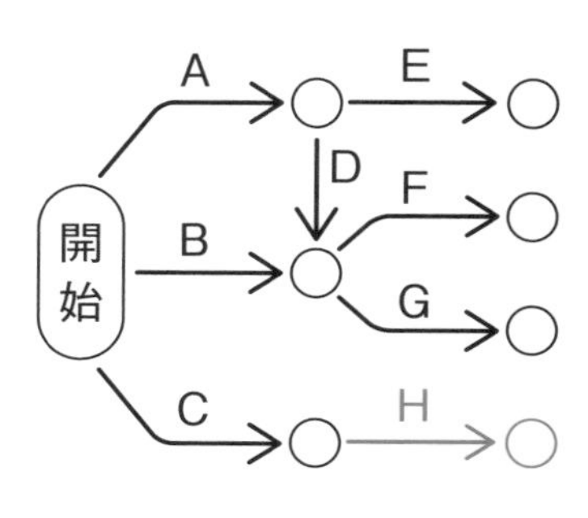

条件5● 作業Iは、E、Fが完了後着手できる

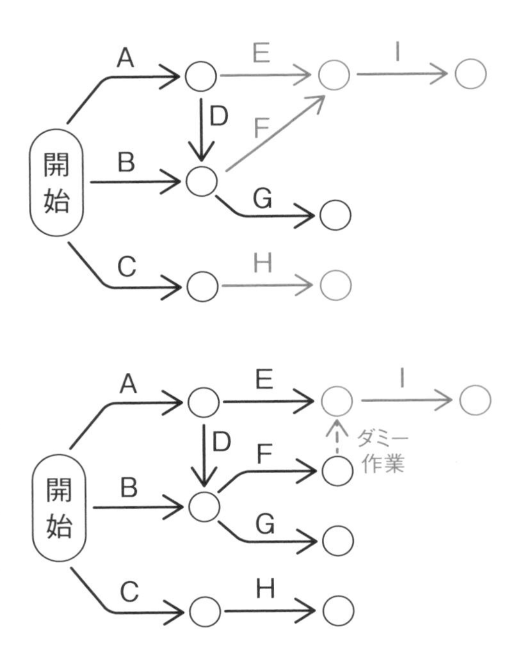

ここからが複雑です。「EとFの完了後」という制約から、【条件3】と同じように考えるとEとFとが直接1か所の結合点に収束するように見受けられます。右のようなイメージです。

ところが、ここに落とし穴があります。次の【条件6】を眺めてみてください。作業Fが単独の制約として示されています。具体的な解説は次の【条件6】にて述べますが、EとFとが直接1か所の結合点に収束してしまうと、条件を満たさないことになります。

したがって、ここは「ダミー作業」を用いて、作業Eが作業Jに影響を与えないように工夫しなくてはなりません。結論を先にいってしまいますが、右の図が正しい進め方となります。

条件6● 作業Jは、Fが完了後着手できる

この設問のハイライトともいうべき箇所になります。ここの条件は、1つ前の【条件5】と絡めて考える必要があります。改めて並べて比較してみましょう。

- 作業Iは、E、Fが完了後着手できる
- 作業Jは、Fが完了後着手できる

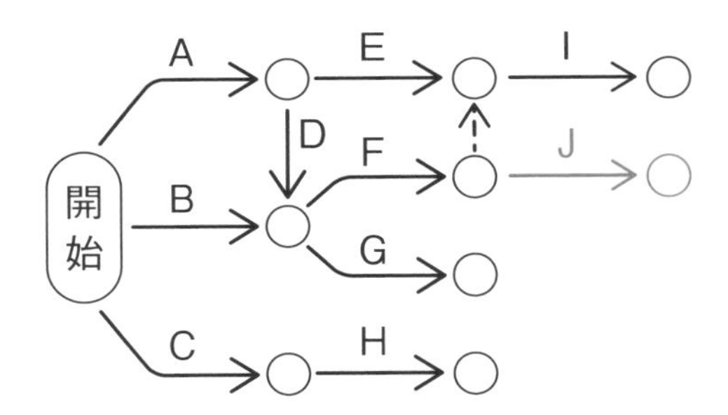

この2つの制約条件から、作業Fは、続く作業IとJの両方に影響を与えることがわかります。一方で作業Eは続く作業Iには影響しますが、作業Jには影響を与えません。こういったケースを表現する際に「ダミー作業」を用いるのです。

具体的には、影響を与える方向にダミー作業の破線を記載します。右のような図表になれば、正しい進め方となります。

条件7● 作業Kは、G、Hが完了後着手できる

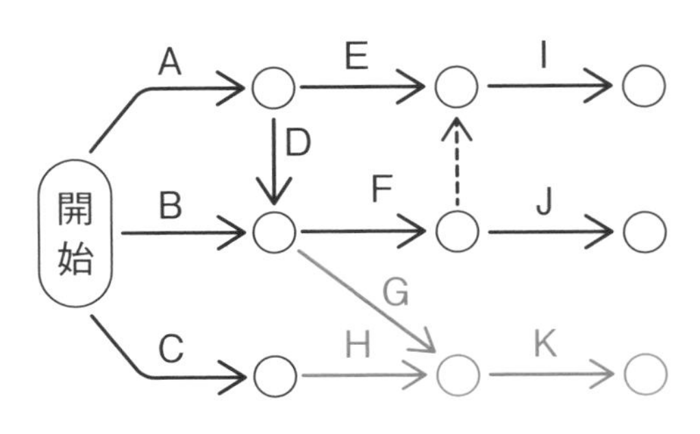

これは、前述の【条件3】のケースと同様です。GとHとが、1つの結合点に収束します。このとき、GとHとが他の作業の制約条件になっているかどうかを俯瞰します。どうやら作業K以外には影響を与えていないようです。したがって、ダミー作業は発生しません。

条件8● 作業Lは、I、J、Kが完了後着手できる

作業Lには前提となる制約作業が3つ存在しますが、2つのときのケースと同様に考えます。I、J、Kの3つの作業が1つの結合点に収束します。1つに収束する場合には、やはり他の作業に影響を与えていないかどうかを確認します。I、J、Kは、作業Lの他には影響を与えていませんね。よって、ダミー作業は必要ありません。

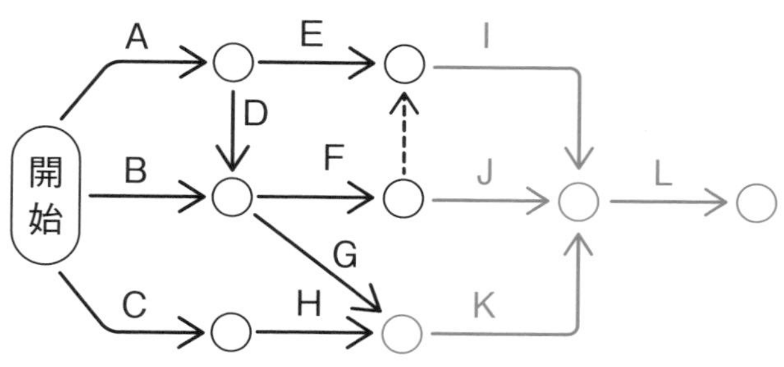

条件9● 作業Lが完了した時点で、工事は終了する

作業Lは他の作業に影響を与えないため、1本の矢印のみで完結します。そして作業Lが帰結した場所が、全体工程の終了日となります。

条件10● 各作業の所要日数を記入

無事に、ネットワーク工程表の「形」が完成しました。ここではじめて、各作業の所要日数を記入していきます。

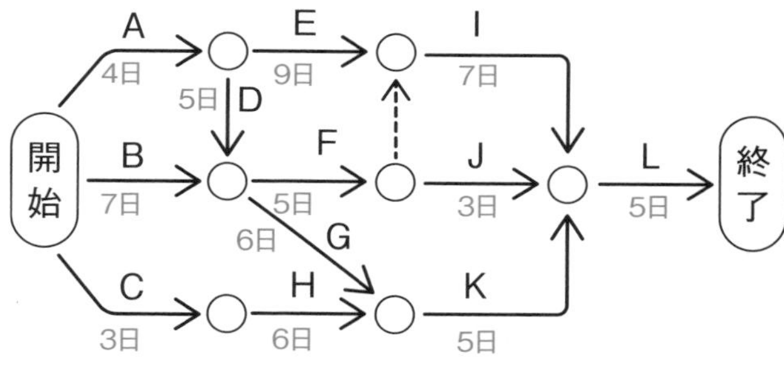

これで晴れて、ネットワーク工程表が完成となります。ここから新たな段階として、全体の所要工期を算出するプロセスに入ります。下記に示す通り、全体の所要工期は26日。赤色で示したラインが、クリティカルパスになります。

所要工期の算出は次の「4-2・所要工期の算出」にて取り扱いますので、ここでは結果のみ掲示します。算出を苦手とする受験者は、次節をマスターした後に、改めてこのページに戻って上記の算出を試みてください。

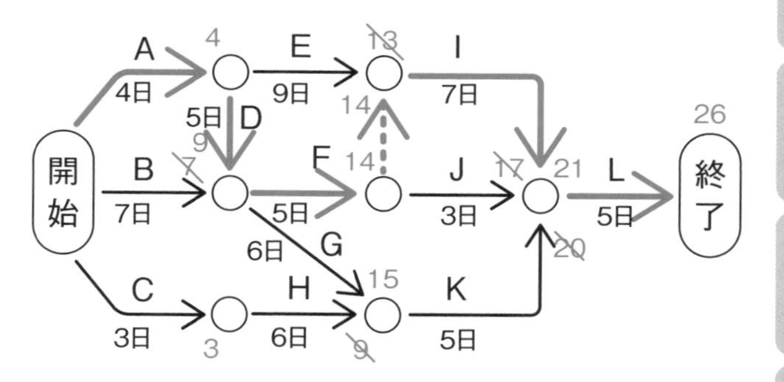

〔解答〕

解答：26日

（1級電気通信工事　令和1年　問題3）

4-2 ［所要工期の算出］

所要工期の算出は、下記の例題のようにネットワーク工程表が図示されて、これをベースに工期等を計算していくものである。ネットワーク工程表の設問としては、比較的標準的な問題といえる。

1級の場合は、ネットワーク工程表から工期等を算出する前段階として、工程表の本体を組み立てる作業が控えている。工程表を組み立てた後は、2級の場合と同様に進めていけばよい。

演習問題

図に示すネットワーク工程表について、所要工期は何日かを解答欄に記入しなさい。ただし、○内数字はイベント番号、アルファベットは作業名、日数は所要日数を示す。

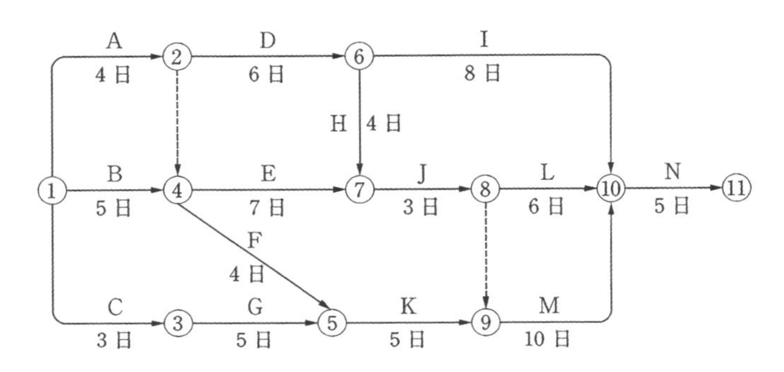

※4-1「工程表の組立」で用いた例題とは、異なる工程表である。

ポイント▶ 図表の見方は、実線の矢印が作業を意味し、丸数字は各作業を整理するための結合点である。破線による矢印は、少々厄介な「ダミー作業」と呼ばれるものである。ダミー作業とは実際に作業は存在せず、前後の作業の順序関係を示すためのもので、工数0日の作業と捉えてもよい。

各結合点では丸の中に数字が記載されているが、これは単に他の結合点と区別するための整理番号である。開始と終了を除けば、それぞれの順序関係を表しているものではない。

さてネットワーク工程表の問題は、「クリティカルパス」の導出を求められているといっても過言ではない。クリティカルパスとは、当該の全工程内における最も時間のかかるルートのことである。問題本文にてクリティカルパスを求められていない場合でも、導出する習慣をつけておきたい。

▶▶▶ 解答・解説 ◀◀◀

掲題の問題は結合点①を開始点として、ここから②に至る作業Aが4日間かかるために、結合点②における所要日数は4日です。同様に作業Bの工数は5日、作業Cの工数は3日ですから、結合点③と④における所要日数はひとまず以下のように置くことができます。

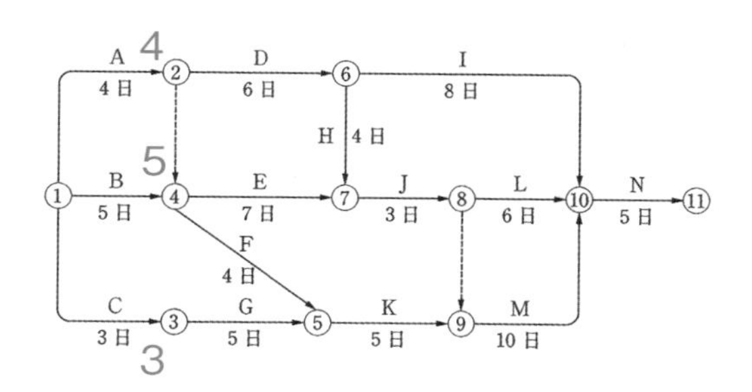

次に、結合点④に着目してみます。結合点②と③はそこに至るルートは1本だけですが、結合点④には到来するルートが2本存在します。結合点④に到達するルートは左方の作業Bによるものと、上方の結合点②から到達する破線の2本です。

結合点②から降りてくる破線はダミー作業を意味しますから、結合点②と④との順序関係を示しているだけです。つまり工数0日の作業とも言い換えられます。すなわち結合点②を経由したルートの所要日数は、作業Aにかかった4日間となります。

ここで結合点④には、所要日数についての条件が「4日」と「5日」の2つが並びました。このうちのどちらを採用すべきでしょうか。「その後に続く、作業EやFにいつ着手できるか」、という視点で見れば理解しやすいです。結合点④に至る全ての作業が完了してからです。したがって、より数値の大きいほうを採用します。このケースでは「5日」になります。

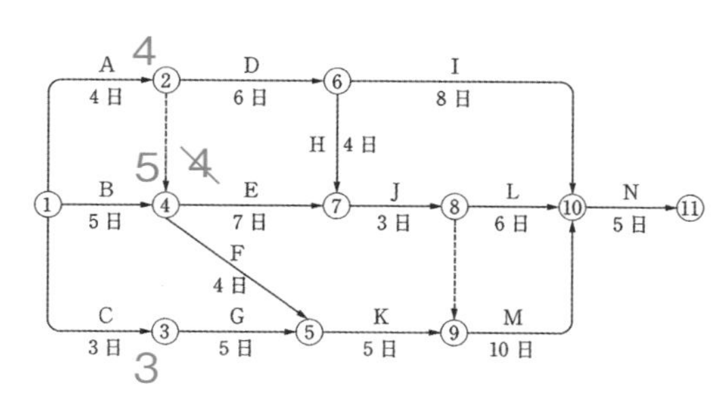

次に、所要日数が定まった各結合点から、先に続く作業に進んでみます。結合点⑥は、既に経過している4日に作業Dの6日を加算して10日となります。結合点④からは2本の作業が出ていますがそれぞれの工数を加えて進み、結合点⑦は12日。結合点⑤は9日となります。

ここで結合点⑤には作業Fだけでなく、結合点③から到来した作業Gが存在することに留意しなくてはなりません。結合点③の所要3日に作業Gの工数5日を加算して、8日となります。ここでも「8日」と「9日」の複数条件が並びましたが、結合点④の場合と同様に、より数値の大きい「9日」を採用することとなります。

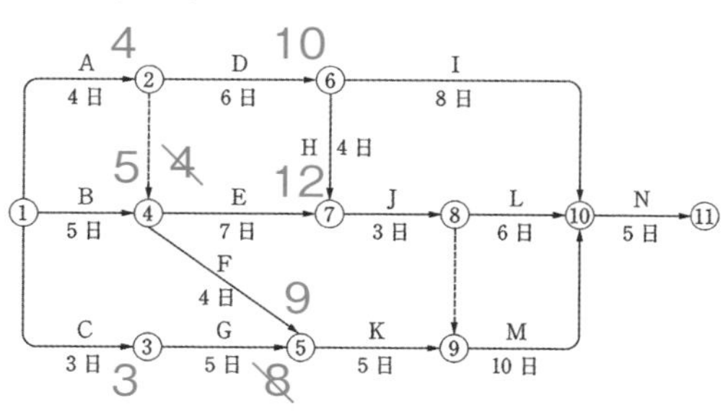

結合点⑦に着目してみます。左方の作業Eから到来したルートの所要は12日でした。しかし結合点⑦には上方の結合点⑥から到来する作業Hが存在します。ここも条件に加えなければなりません。上方からのルートは結合点⑥の所要10日に加えて、作業Hの工数4日で計14日となります。

複数の所要日数が並んだので、「14日」を採用とします。

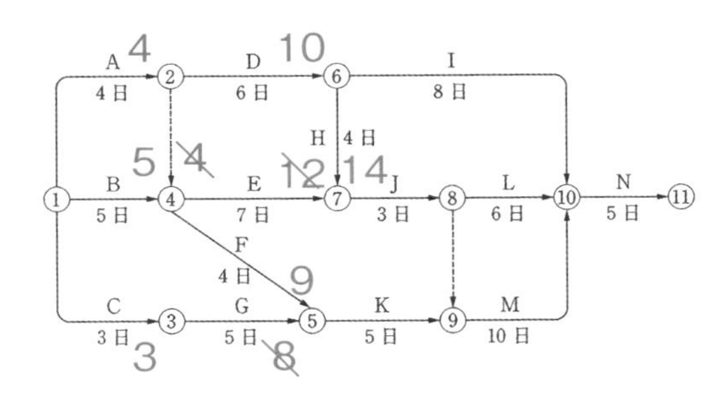

さらに先の作業へと進んでみます。同様の手法で結合点⑩には、上方のルートからの到来で18日。結合点⑧には作業Jによって17日。結合点⑨には作業Kによって14日の所要が算出できます。

ここで、結合点⑧から⑨に向けてダミー作業が存在しています。したがって、結合点⑨にはダミー作業による上方ルートからの所要17日も置かれることになります。より大きな数値をとって、結合点⑨は「17日」です。

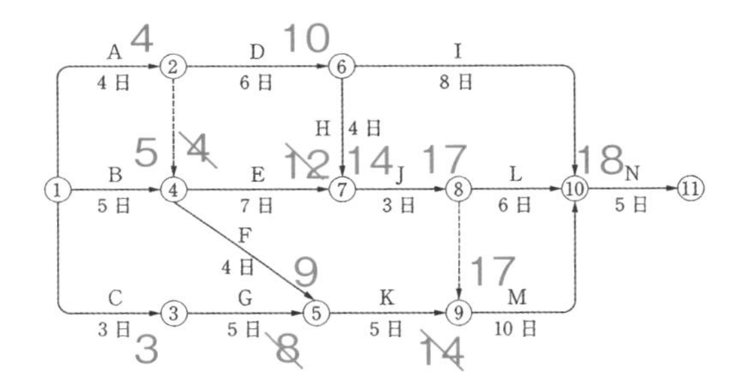

工期も終盤に近づき、結合点⑩には3つのルートからの作業が収束します。結合点⑧からの作業Lによって23日。結合点⑨からの作業Mにより27日。これで3ルートからの所要日数が出揃いました。このうちの最も数値の大きな「27日」が採用されます。

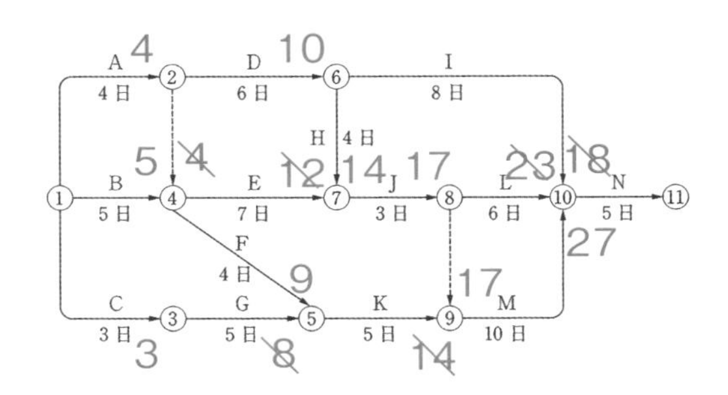

竣工である結合点⑪へは、結合点⑩からの作業Nの1ルートしかありません。したがって結合点⑩までの所要27日に作業Nの工数5日を加えて、32日となります。つまり、全体の所要日数は「32日」です。

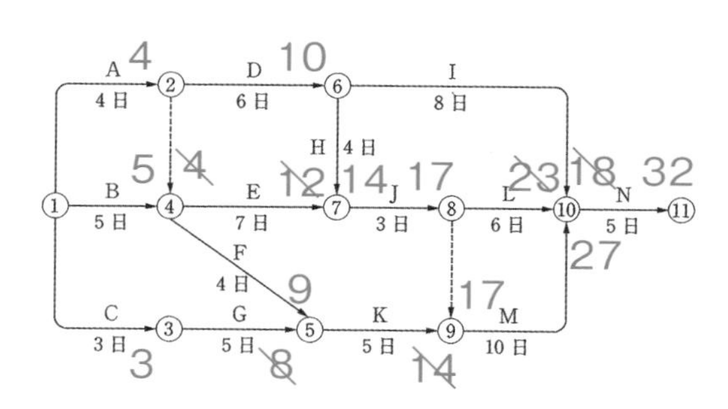

設問には要求されていませんが、クリティカルパスとなるルートも把握しておきましょう。クリティカルパスとは、所要日数で竣工する場合の、最も余裕のない経路のことです。ある結合点において複数の所要条件があるときは、数値がより大きくなるほうのルートが該当します。

本設問のクリティカルパスは、下図の赤線で示した経路です。

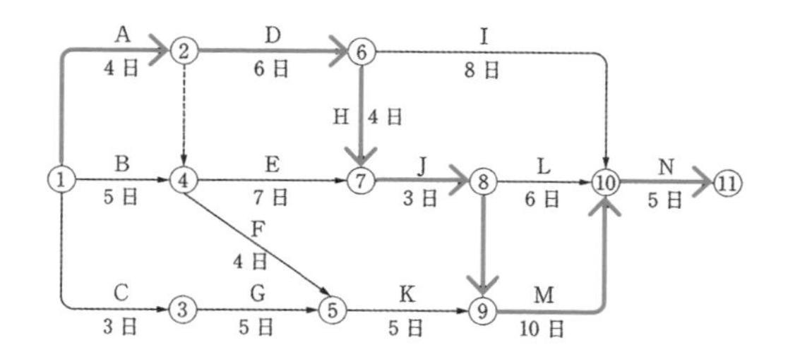

この赤線で示したルートの作業日数を合計すると、4＋6＋4＋3＋0＋10＋5＝32日となり、全体の所要日数と一致します。つまりクリティカルパスには1日たりとも余裕がなく、各作業に遅れが発生するとそのまま全体工期の遅延に影響してしまいます。

逆に、クリティカルパスとならないルートには多少の余裕を内包しています。例えば作業Lは6日かかる算段ですが、結合点⑧→⑨→⑩を経由するルートが10日を要することと比較して、4日間も余裕があることがわかります。つまり作業Lは、4日以内の遅延であれば全体工期に影響を与えないと判断できます。

解答：32日

〔解答〕

（2級電気通信工事　令和1年　問題3）

1章 2章 3章 4章 5章 6章 7章 8章 索引

4-3 ［工程の遅延］

ネットワーク工程表にかかわる設問の中で、比較的よく目にするテーマが「工程の遅延」である。全体工程の中のある1つの作業が遅延した場合に、その遅れが全体工程に対してどれだけ影響するかを判断しなければならない。

この工程の遅延は比較的よく出題されるテーマであるから、早い段階で苦手意識を払拭しておきたい。難易度としては、それほど高いものではない。

演習問題 下図に示すネットワーク工程表について、作業Kの所要日数が5日から9日になったとき、全体の所要工期は何日遅延するかを解答欄に記入しなさい。ただし、○内数字はイベント番号、アルファベットは作業名、日数は所要日数を示す。

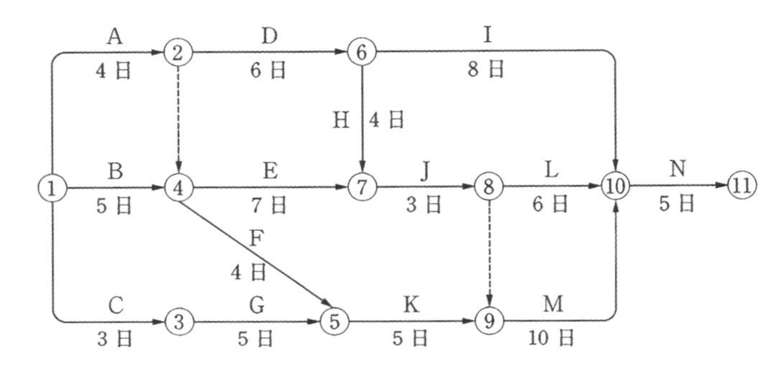

※4-2「所要工期の算出」で用いた例題と、同一の工程表である。

ポイント▶ 「ある作業が5日から9日に遅延した。つまり4日間分だけ余計に時間がかかっているから、全体工程も当然に4日間分だけ遅れる」と考えるのは、尚早である。そのようになるケースもあるし、そうならない場合もある。むしろ計算をさせるための問題であるから、単純にそうはならないものとして取り組むべきである。

着目すべき点は、「クリティカルパス」である。クリティカルパスは、当該の全工程内における最も時間のかかるルートである。したがって、クリティカルパス上の作業が遅延した場合には、その遅延分がそのまま全体工程の遅れに加算される。一方で、クリティカルパス上にない作業が遅れた場合が厄介である。

▶▶▶ 解答・解説 ◀◀◀

本問は、前節で用いた工程表と同一のものです。したがって、共通して利用できる情報はなるべく流用しながら進めていきます。

さて、題意より「作業Kの所要日数が5日から9日になった」とあります。図示すると、右のようになります。

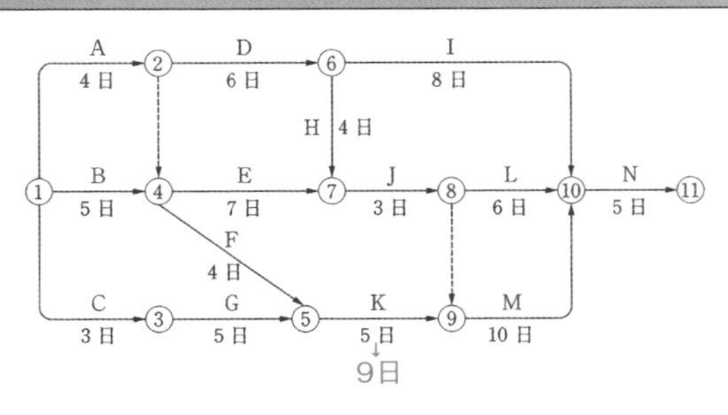

解答法としては、単純に作業Kが9日間要する形で所要工期を算出して、遅延がない場合の全体工期と比較すればよいだけです。

作業Kだけが遅延するわけですから、作業Kに至る前、つまり結合点⑤までは変更がありません。また、作業Kを経由しないルートにも影響はありません。したがって結合点⑤までは前節と同様に、以下のようになります。

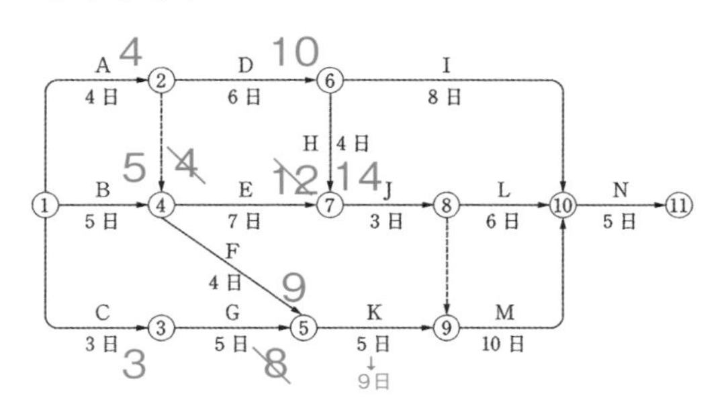

ここから先は、作業Kが9日間を要するものとして、進めていきます。作業Iから至る結合点⑩は作業Kにかかわりませんので、上方のルートからの到来で、単純に18日です。結合点⑧は、作業Jによって17日となります。

ここで結合点⑨に着目します。作業Kが本来5日所要だったはずが、4日間遅延して9日所要となってしまいました。よって、結合点⑨は18日（9＋9）の所要が算出できます。

さて、結合点⑧から⑨に向けてダミー作業が存在しています。したがって、結合点⑨にはダミー作業による上方ルートからの所要17日も置かれることになります。より大きな数値をとって、結合点⑨は「18日」です

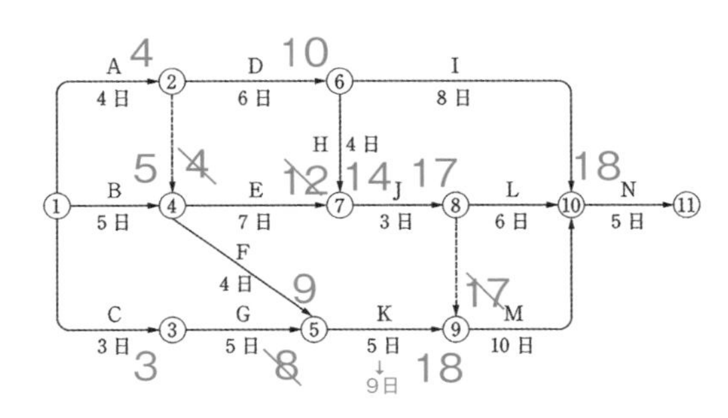

工程も終盤に近づいてまいりました。結合点⑩には3つのルートからの作業が収束します。結合点⑧からの作業Lによって23日。結合点⑨からの作業Mにより28日。これで3ルートからの所要日数が出揃いました。このうちの最も数値の大きな「28日」が採用されます。

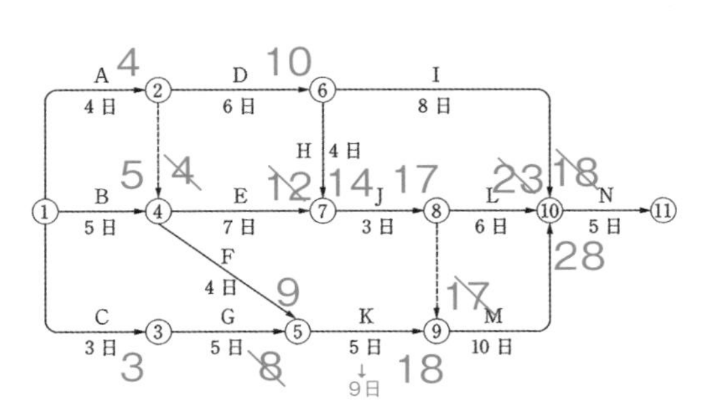

竣工である結合点⑪へは、結合点⑩からの作業Nの1ルートしかありません。したがって結合点⑩までの所要28日に作業Nの工数5日を加えて、33日となります。つまり、全体の所要日数は「33日」です。

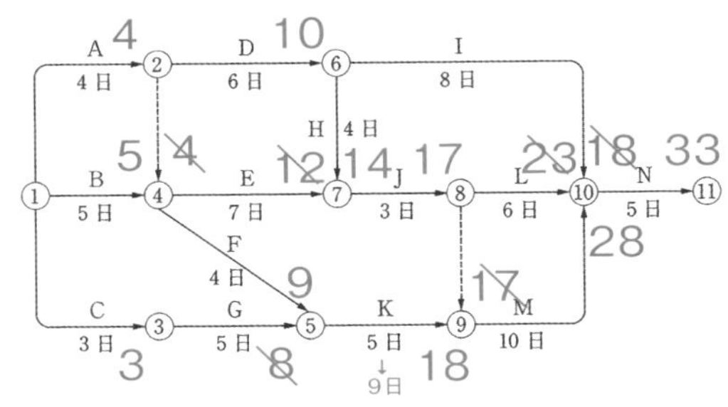

これによって、作業Kの4日間遅延を考慮した場合の全体工期は33日。遅延が発生していない場合の全体工期が32日でしたから、差し引き1日間の全体遅延となります。

ある作業が4日間も遅れたにもかかわらず、全体としては、たった1日しか遅延していない。これは「クリティカルパス上にない作業」に遅延が発生したためです。

ここでクリティカルパスとなるルートも把握しておきます。作業Kの遅延を考慮したクリティカルパスは、下図の赤線で示した経路です。

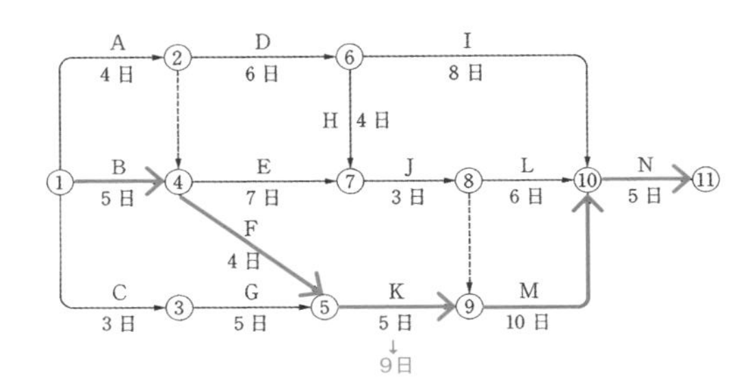

前節で提示した、遅延が発生していない場合のクリティカルパスと比較してみましょう。

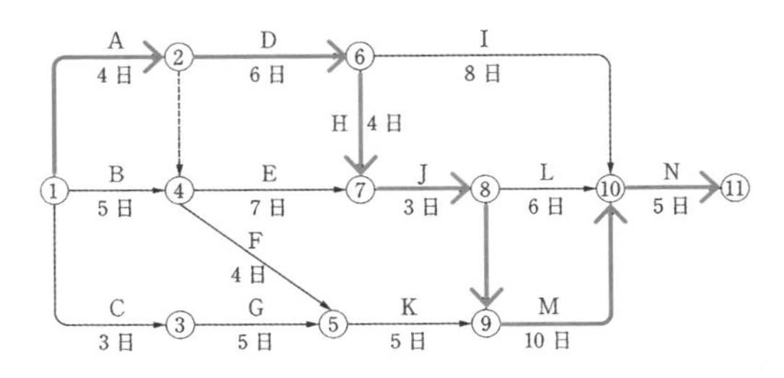

ここから判断できることは、「作業Kの遅延に伴って、クリティカルパスのルートが変わった」ということです。クリティカルパス上にない作業が遅延することで、遅延した作業を含むルートが新たなクリティカルパスになる場合があるのです。

〔解答〕

解答：1日遅延

演習問題 下図に示すネットワーク工程表について、作業Jの所要日数が3日から7日になったとき、全体の所要工期は何日遅延するかを解答欄に記入しなさい。

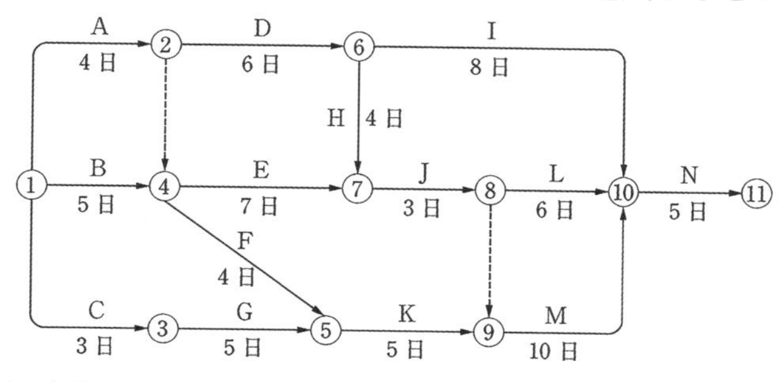

※4-2「所要工期の算出」で用いた例題と、同一の工程表である。

解答・解説

同様の流れで、作業Jに4日間の遅延が発生した場合の所要工期を算出します。

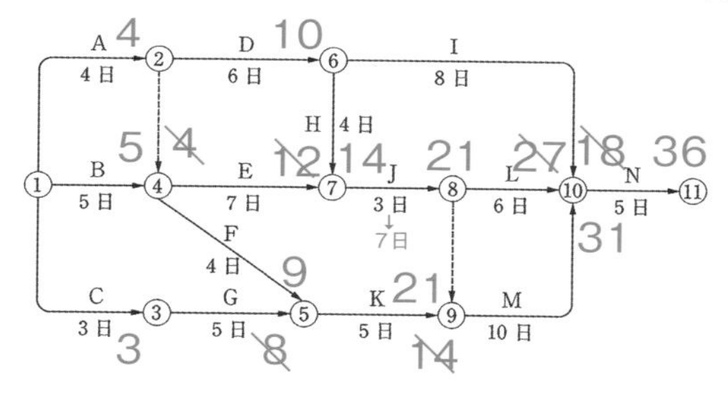

これによって、作業Jの4日間遅延を考慮した場合の全体工期は36日。遅延が発生していない場合の全体工期が32日でしたから、差し引き4日間の全体遅延となります。

ここでクリティカルパスとなるルートも把握しておきます。本設問のクリティカルパスは、下図の赤線で示した経路です。

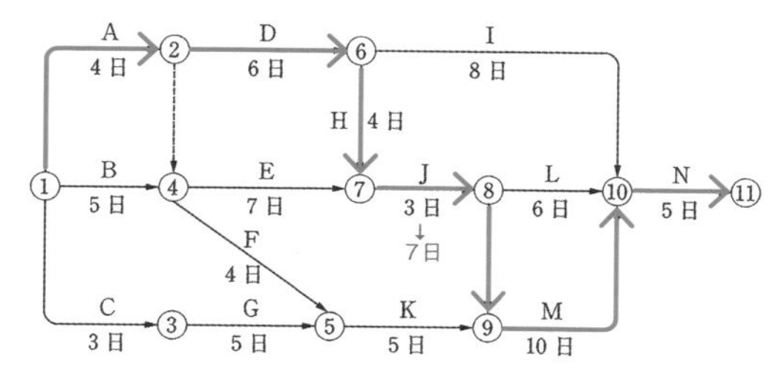

前節で提示している、遅延が発生していない場合のクリティカルパスと比較してみましょう。両者でルートが同じになっています。つまりこれは、「もともとクリティカルパス上にあった作業が遅延したため、単純にその遅延分が全体工程の遅れとして加算された」という例になります。

〔解答〕

解答：4日遅延

4-4 [フロート1]

ネットワーク工程表にかかわる設問で、よく目にするテーマが「フロート」である。フロートとは、「余裕時間」のことである。そもそもフロートとは浮いているという意味であるから、「時間的に浮いた状態」とも表現できる。

複数の作業を並行的に進めていると、余裕時間のある作業と余裕のない作業とが出てくる。ここで、余裕のない作業だけをつなげたルートを、クリティカルパスと呼んだ。

すると、クリティカルパスでないルート上に存在する作業には、多少の時間的な余裕が生じている。これらの余裕時間をフロートと呼ぶ。

このフロートは、その態様によって「フリーフロート」と、「トータルフロート」とに分けられる。ここではまず、基本的な「フリーフロート」を理解したい。

演習問題 右図に示すネットワーク工程表について、作業Lのフリーフロートは何日か、解答欄に記入しなさい。ただし、○内数字はイベント番号、アルファベットは作業名、日数は所要日数を示す。

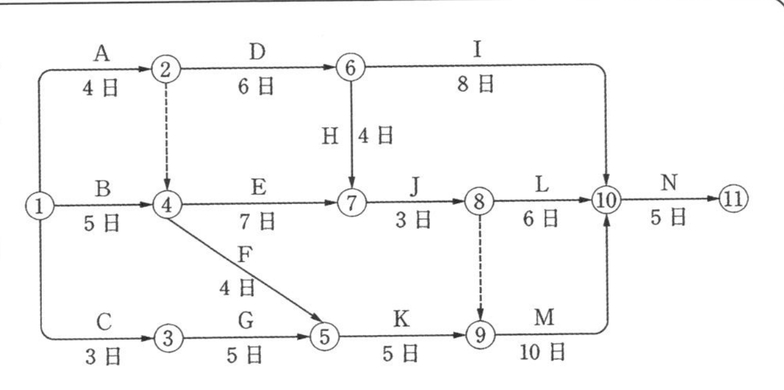

※4-2「所要工期の算出」で用いた例題と、同一の工程表である。

ポイント▶ 「フリーフロート」とは、1つの作業だけに着目した場合の、余裕時間のことである。前後の作業日程は固定されているものとして、計算を進める。
ここでも、まず着目すべき点は、「クリティカルパス」である。クリティカルパスを把握できないと、フリーフロートの数値を算出することができないからである。

▶▶▶ 解答・解説 ◀◀◀

この問題は、前々節で用いた工程表と同一のものです。このネットワーク工程表を基にして、作業Lにおけるフリーフロートの日数を算出していきます。

フリーフロートを考える上においては、まずはクリティカルパスの状況を確認する必要があります。

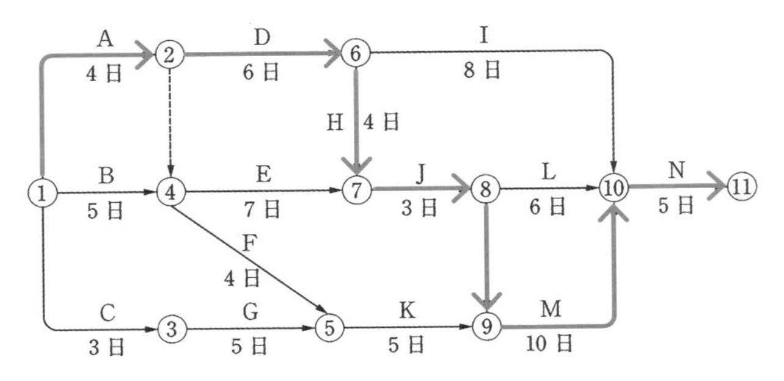

本工程表のクリティカルパス

まず当たり前のことではありますが、クリティカルパス上に存在する作業についてフリーフロートの日数を求められているのであれば、それは「0日」です。なぜなら、クリティカルパスは日程的な余裕が全くない経路のことだからです。

今回の設問は作業Lに関するものですから、クリティカルパス上にいない作業であることがわかります。では、具体的に作業Lのフリーフロートに着目していきます。普通のネットワーク工程表からでもフリーフロートは算出できますが、より具体的に理解するためには「タイムスケール方式」に書き直す方法もあります。

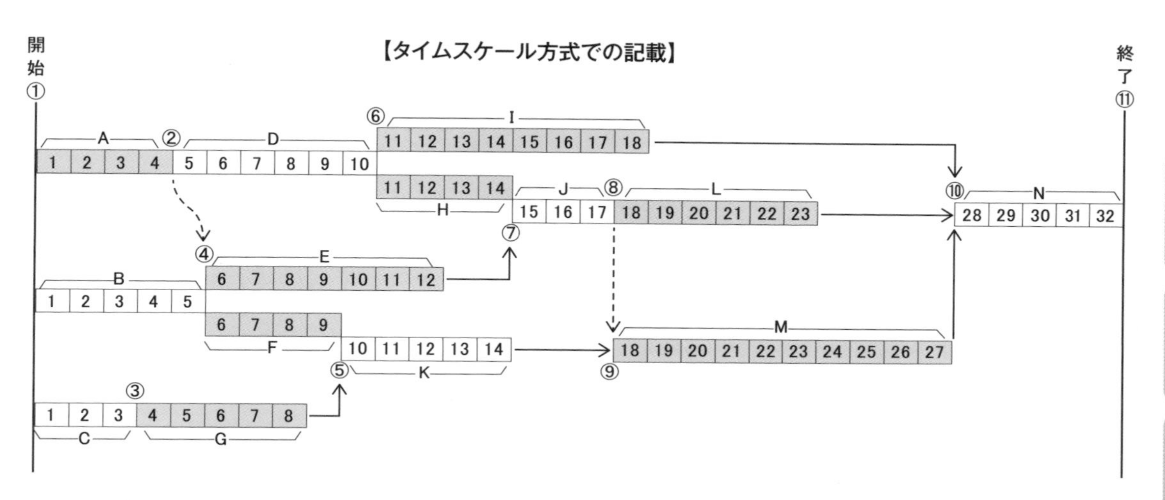

※このグラフでは青色に着色してありますが、わかりやすいように区分しただけで、色に関しての意味付けはありません。

タイムスケール方式とは、一般的なネットワーク工程表を、横軸に時間をとった形に書き換えたものです。この形式であれば、作業A→D→H→J→M→Nのルートが、時間的に全く余裕がないことが一目で把握できます。これがクリティカルパスです。それ以外のルートには、若干の余裕が見受けられます。

さて、命題の作業Lに着目します。作業Lは、前作業であるJが終了した結合点⑧からスタートすることになります。作業Jが完了してからでなければ着手できません。つまり作業Lに着手できる最も早い日は、「17日目」になります。

次に作業Lは、いつまでに完了しておく必要があるのでしょうか。作業Lの後段に存在するものは、作業Nのみです。しかし作業Nをスタートさせるためには、作業Lの他に、IとMの2つの作業の完了を待たなくてはなりません。作業Iは早めに終わっていますが、作業Mは作業Lよりも時間がかかっています。

作業Mはクリティカルパス上の作業ですから、作業Lよりも時間がかかることは納得できます。クリティカルパスである作業Mが完了してからでなければ作業Nには着手できません。つまり作業Nは一番早くて27日目にならなければ着手できないことになります。

よって、命題の作業Lは「27日目」までに完了しておけばよいのです。ここまでの情報が揃って、作業Lのフリーフロートを算出することができます。

フリーフロート ＝ 次作業の開始日 － 当該作業の開始日 － 当該作業の所要工期
＝ 27 － 17 － 6
＝ 4〔日〕

とはいえ、このような計算式で表現しなくても、上記のタイムスケール方式のグラフを見れば、作業Lの余裕は4日間であることは明らかです。

フリーフロートの概念を今ひとつ理解し難い場合は、以下のようにイメージしてみると解決が早くなります。日程的に余裕がある状態とは、作業を後ろに遅らせても、全体の工期に影響を与えないという意味でもあります。

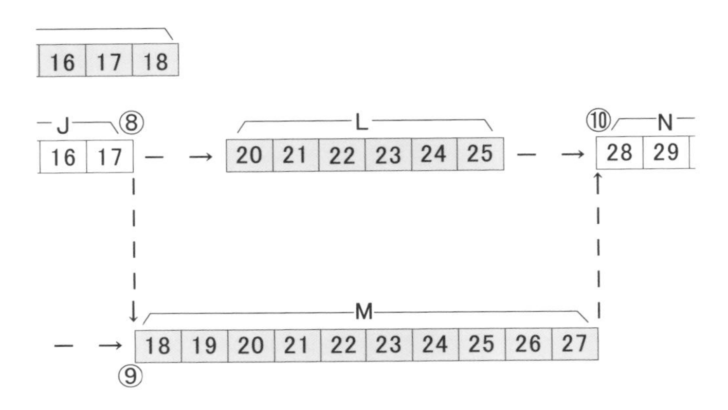

例えばこの図では、4日間のフリーフロートを持つ作業Lについて、開始を2日間遅らせてみた様子です。前の2日分を休養日にあてて、作業を19日目から着手しても、後ろにまだ2日間も余裕があります。それでも全体工期には全く影響を与えません。
これがフリーフロートの意味するところなのです。

〔解答〕

解答：4日

4-4 ［フロート②］

前問でフリーフロートを理解したところで、一歩踏み込んで、「トータルフロート」にも挑戦しておきたい。

演習問題 右図に示すネットワーク工程表について、作業Gのトータルフロートは何日か、解答欄に記入しなさい。

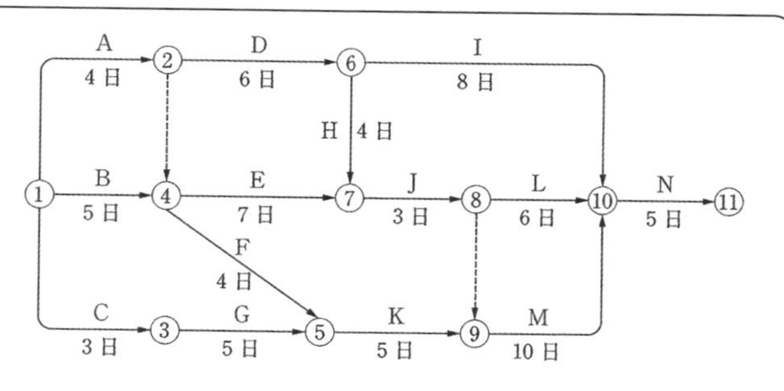

※4-2「所要工期の算出」で用いた例題と、同一の工程表である。

ポイント▶ 「フリーフロート」は、自作業の中だけで発生する余裕時間である。一方で、「トータルフロート」は定義が異なる。少なくともクリティカルパス上に存在しない性質は同じであるが、どの作業を捉えるかの、範囲に違いがある。

▶▶▶ 解答・解説 ◀◀◀

「トータルフロート」の定義をわかりやすく書き直すと、「自作業を含め、これより後段の、クリティカルパスにぶつかるまでの最大の余裕時間」といえます。

つまり、後続の作業まで巻き込んで考えた場合に、自作業をどこまで遅延させられるかを表す指標になります。

今回の命題は作業Gですが、タイムスケール方式の工程表を眺めると、まず作業Gのフロートは「1日」あることが読み取れます。しかし、これは作業G単独のフリーフロートです。

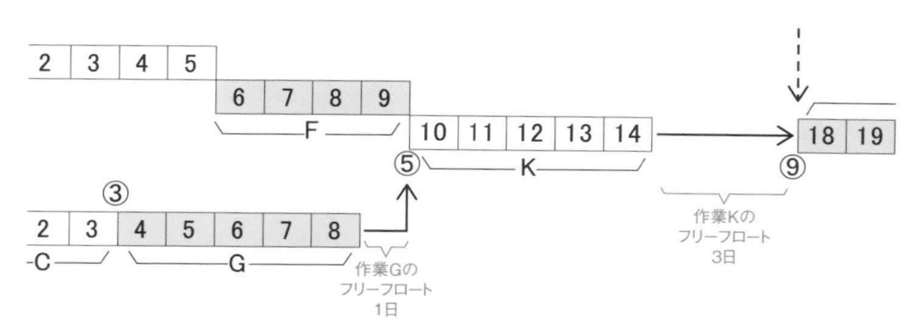

次に、クリティカルパスにぶつかる点を把握します。作業Gを終えた後に、最初にクリティカルパスに遭遇するのは、結合点⑨の所です。

この結合点⑨の手前には、作業Kがあります。もし作業Kの実施を先延ばしにできるのであれば、その分だけ作業Gの余裕時間が増えることになります。これが「トータルフロート」の考え方です。

作業Kは、最大で3日分だけ実施を遅らせることが可能です。すると、作業Gの後ろに4日分の余裕時間が生まれました。この4日こそがトータルフロートなのです。

〔解答〕

解答：4日

4-5 [4つの時刻1]

ネットワーク工程表にかかわる要素に、「4つの時刻」がある。これは、クリティカルパス上にない作業について登場する、作業の開始や完了についての時間的な節目を表すものである。

「クリティカルパス上にない作業」ということは、フロートと密接に関係した要素ともいえるものである。前節のフロートを充分に理解した上で、その応用として本節に進む流れとしたい。フロートの理解が不安な場合には、無理に本節に入らずに、前節に戻って復習する必要がある。

4つの時刻はそれぞれ名称も似ているために紛らわしいが、ネットワーク工程表を扱う上で外せない概念である。各名称と対応する意味を理解しておきたい。難易度はそれほど高くない。

演習問題 下図に示すネットワーク工程表について、作業Lの最早開始時刻はイベント①から何日目になるか、解答欄に記入しなさい。ただし、○内数字はイベント番号、アルファベットは作業名、日数は所要日数を示す。

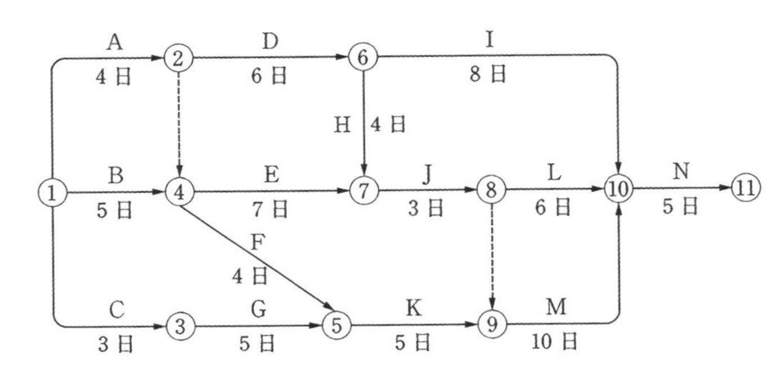

※4-2「所要工期の算出」で用いた例題と、同一の工程表である。

ポイント▶ 学習法としては、4つの時刻を並列的に覚えるのではなく、まず得意そうな1つを選んでしっかり掌握したい。その上で、それの応用として残りの3つについて理解を進めていくとよい。

一般的に最初に学習するものとしては、命題で示されている「最早開始時刻」がよいだろう。「最早開始時刻」は、4つの時刻の中で最もポピュラーなものである。出題頻度も4つの中で一番高いといってよい。

前節の「フロート」を理解した上でこの「4つの時刻」の学習に入るが、同様に「クリティカルパス」についても充分な理解が必要となる。

▶▶▶ 解答・解説 ◀◀◀

クリティカルパスでないルートに存在する作業には、多少の時間的な余裕があるはずです。このように余裕を含んだ作業は、全体の工期に影響を与えなければ、前に寄せることも後ろに寄せることもできます。

ここでは単純なモデルを使用して理解を進めましょう。まず着目すべき点は、「クリティカルパス」です。クリティカルパスを把握できないと、4つの時刻の算出は難しくなってきます。

作業イ 3日
作業ロ 4日
作業ハ 5日
③ ④ ⑤
1 2 3 4 5
1 2 3 4 5
最早開始
最遅開始
最早完了
最遅完了

右のネットワーク工程表では、2つのルートが確認できます。上ルートは所要工期が7日かかっていて、下ルートは5日ですから、上ルートがクリティカルパスになります。

さて、下ルートの「作業ハ」には2日間のフリーフロートが存在します。この場合に作業ハをできるだけ前に寄せた工程と、できるだけ後ろに寄せたケースを考えます。このときの、前に寄せたケースの初日を「最早開始時刻」といいます。最早開始時刻とは、その作業を最も早く開始できる時刻という意味です。

同様に、図示したように計4つの時刻が定義付けられています。

- 最早開始時刻（Earliest Start Time）：その作業を最も早く開始できる日。【これが最も重要】
- 最遅開始時刻（Latest Start Time）：全体工期を守る上で、その作業を開始できる最も遅い日。この日を過ぎると全体工程に遅延が発生する。
- 最早完了時刻（Earliest Finish Time）：その作業を最も早く完了できる日。
- 最遅完了時刻（Latest Finish Time）：全体工期を守る上で、その作業が遅くとも完了していなければならない日。

それでは上記の定義を理解した上で、実際の例題に入ってみましょう。この問題は、4-2節で用いた工程表と同一のものです。まずはクリティカルパスの状況を確認します。

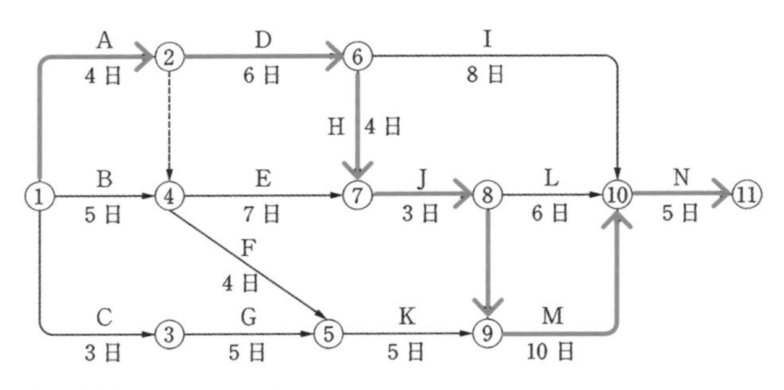

本工程表のクリティカルパス

設問にある作業Lは、クリティカルパス上の作業ではないことがわかります。したがって、作業Lには4つの時刻が存在しそうです。

ここでもタイムスケール方式に書き直して考えると、格段に理解しやすくなります。

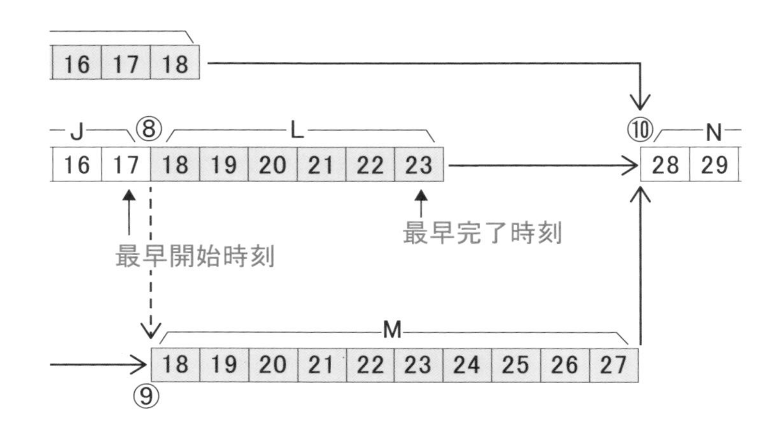

前段である作業Jが完了して、間を空けずに直ぐに作業Lに着手した場合の形です。この場合、作業Lに最も早く着手できる時刻は「17日目」になります。このまま順調に作業Lを実施できれば、23日目には終わるはずですから、この日が「最早完了時刻」となります。

一方で、後ろに寄せた場合はどうでしょうか。

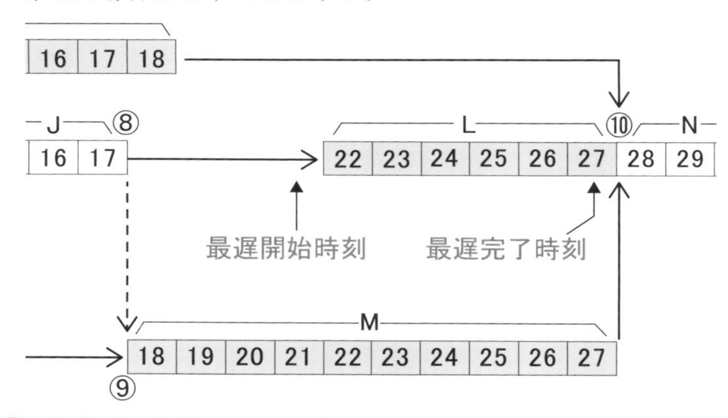

前段である作業Jが完了した後、4日間の休日を設けました。そして後段の作業Nへ影響を与えないように、6日分の作業をできるだけ後ろに寄せた形です。

この場合に、遅くとも作業Lを開始していなければならない日は21日目であり、この日が「最遅開始時刻」となります。この日を過ぎて、22日目以降の着手となれば、その分だけ全体工程に遅延が発生することになります。

21日目に着手できたとして、順調に6日分の作業を実施できれば、27日目に完了します。こうすれば、全体工期へ影響を与えずに済みます。この場合の27日目を「最遅完了時刻」と呼びます。

このように、1つずつ名称と意味を掘り下げていけば、それほど難解な問題ではありません。

〔解 答〕

解答： 17日目

4-5 ［4つの時刻②］

前ページの例題で、先んじて「最早開始時刻」を学習した。ここでは残りの3つの時刻も合わせて、実践的に理解を深めてみたい。

演習問題 右図に示すネットワーク工程表について、作業Iの4つの時刻がそれぞれイベント①から何日目になるか、解答欄に記入しなさい。

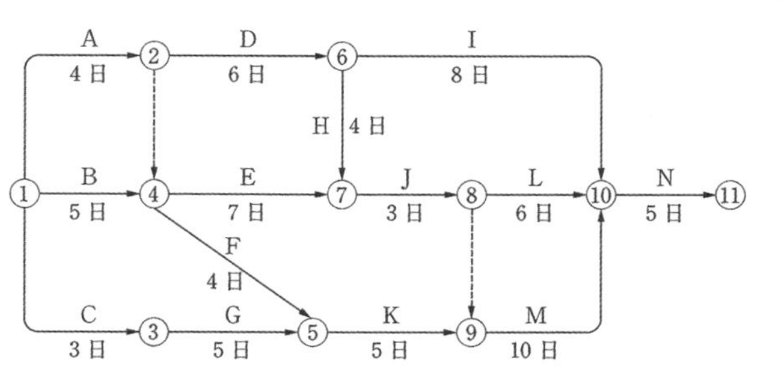

※4-2「所要工期の算出」で用いた例題と、同一の工程表である。

ポイント▶ 工程表そのものは、前設問と同じである。タイムスケール方式に書き直したグラフを基にして進めていけば、それほど難易度は高くない。
ここから、最早開始時刻、最早完了時刻、最遅開始時刻、最遅完了時刻の、4つの時刻をそれぞれ算出していく。

▶▶▶ 解答・解説 ◀◀◀

前節の例題でタイムスケール方式に書き直したグラフを用いて、話を進めていきます。まず「最早開始時刻」ですが、これは説明するまでもなく、「10日目」となります。

続いて、「最早完了時刻」です。これは「最早開始時刻」に、自作業の所要時間を加えたものとなります。つまり、10日＋8日で、「18日目」が解です。

次に、最後の「最遅完了時刻」を先に処理しておきましょう。これは、「遅くとも、このときまでには完了していないと困る時刻」です。

つまり、クリティカルパスである作業Mと並べて尻尾を合わせたときの右端が、これに該当します。「27日目」となりますね。

後回しになってしまいましたが、「最遅開始時刻」を求めます。これは「最遅完了時刻」から、自作業の所要時間を差し引いたものとなります。

したがって、27日－8日で、「19日目」が正解となります。ここだけは、慣れないと少々難しく感じるかもしれません。

〔解答〕

最早開始時刻： 10日目
最早完了時刻： 18日目
最遅開始時刻： 19日目
最遅完了時刻： 27日目

労働災害防止対策

労働災害防止対策の学習にあたって

● 出題の形式

> 電気通信工事に関する作業を選択欄の中から**2つ**選び，解答欄に**番号**と**作業名**を記入のうえ，「労働安全衛生法令」に沿った**労働災害防止対策**について，それぞれ具体的に記述しなさい。
> ただし，保護帽及び安全帯（墜落制止用器具）の着用の記述は除くものとする。
>
> 選択欄
>
> | | |
> |---|---|
> | 1．高所作業車作業 | 2．低圧活線近接作業 |
> | 3．脚立作業 | 4．移動式クレーン作業 |
> | 5．酸素欠乏危険場所での作業 | |

本問は、このような形で出題されます。どちらの級も、苦手な3題は捨てることができます。

両級とも ⇒ 5題提示され、2つを選択

● 1級は必須、2級は・・・

このジャンルは、1級は毎年必ず出題されています。したがって学習は必須となります。一方の2級は、出ない年もあります。出題される確率は、概ね1/3程度になります。

2次検定の5つ目として設定されるジャンルは、「労働災害防止対策」である。この設問は1級、2級の両級で出題される。

この設問の難しい点は、自身の経験をベースとした書き方では点が取れないところにある。下記の例題にあるように、労働安全衛生法令とリンクした解答法を、きっちりマスターしなければならない。

そのため他の章と比較すると、難易度はやや高めといえる。逆に、過去問題からの繰り返し出題の頻度が高いため、勉強範囲を絞り込みやすい。

出題の形式は両級とも、5個の語句が与えられて、その中から2題を選択して解答する。

●出題の傾向

過去の出題実績では、措置を講じなければ、死傷を伴う大事故に至るような命題が多く見られます。したがって、自身がその現場の監督者としての立ち位置で、事故を発生させないための対策を講じていくプロセスに着目します。

このとき、自身の現場で普段当たり前として講じている対策が、法令に照らし合わせてみて、本当に正しい策なのでしょうか。この点を、改めて見直してみる必要があるかもしれません。

●記述の手法

採点のポイントは、監督者として本気で災害を起こさない固い決意が見えるかどうかです。出題された語句に対して、労働災害を防止するために講じるべき対策を具体的に記述します。

その際に、自分の経験や、頭の中で浮かんだストーリーだけで記述してはいけません。労働安全衛生法令で規定されている項目に沿った内容とする必要があります。ここが本設問の重要なポイントです。

いうまでもありませんが、一作業者の立場で見た場合の表現では、減点の対象になります。あくまで自身が監督者としての目線で書かなければなりません。

本設問に対する具体的な学習については、次ページ以降のサンプルをご参照ください。なお、条文の番号まで暗記する必要はありません。

●文字量はあまり少なすぎないように

文字量の目安は、概ね45～65文字程度で書けるようにしておきたいところです。文字の量は採点にはあまり影響しないと考えられますが、解答欄が想定以上に大きい場合に、空白が目立ってしまうのはあまり印象がよくありません。

なるべく空白がなくなるように工夫しましょう。

●出題傾向の分析●

この章で取り扱う設問について、昨年までに実施された検定での出題実績を以下に示します。これら出題の傾向を把握するとしないとでは、学習の効率に大きな差が出てきます。

闇雲に広い範囲に手をつけるよりも、これらの傾向を踏まえた上で、学習の優先順位を設けるのが戦略的な進め方といえそうです。

◆１級の出題傾向

年度	出題項目
令和１年	高所作業車作業 低圧活線近接作業 脚立作業 移動式クレーン作業 酸素欠乏危険場所での作業
令和２年	墜落制止用器具の使用 移動はしごの使用 熱中症予防 作業場内の通路 飛来落下災害の防止
令和３年	高所作業車作業 スレート屋根上の作業 地山掘削の事前調査 足場の組立・解体作業 玉掛け作業
令和４年	移動式クレーン作業 危険物（ガソリン）の取り扱い 脚立作業 作業場内の通路 酸素欠乏危険場所での作業
令和５年	高所作業車作業 移動はしご作業 低圧架空電線近接作業 地山掘削の事前調査 飛来落下災害の防止

⬇

令和６年	？

１級の過去５年間に実施された設問を俯瞰すると、上表のようになります。傾向としては、２～４年前の項目群から繰り返し出題されていることがわかります。

また、２年連続しての同じ項目の出題がないことも特徴です。

こうして考えると、前年（令和５年）に出題された項目（表中の青文字）については、学習の優先度を下げるのが賢明な戦略といえます。

これらを省いた上で、一昨年（令和４年）以前に出題されたものを中心に手掛けるのが、効果的でしょう。なお表中の赤文字は、令和４年以前に再出題があった項目を示しています。

つまり、赤文字と黒文字が注目ポイントです。

◆２級の出題傾向

令和１年	（出題なし）
令和２年	（出題なし）
令和３年	（出題なし）
令和４年	高所作業車作業 漏電による感電防止 移動はしごの使用 悪天候時の作業 安全管理者の職務
令和５年	（出題なし）

⬇

令和６年	？

２級に関しても、過去５年間の実績を整理してみます。こちらは令和４年になって、はじめて労働災害防止対策が出題されました。

その他の年度は、「出題なし」となっています。これはそれらの年度では、労働災害防止対策の代わりに、ネットワーク工程表、または安全管理用語が出題されたものとなります。

本年もこの労働災害防止対策の設問が設けられるかどうかは、ズバリ判断はできません。しかし、出題された場合に備えて、一通りの学習は必要と考えられます。

この部分に関しては、P10の「２級の問題３について」も、合わせて参照してください。

さて、出題された令和４年の実績は、上表のようになります。内容的には、概ね１級に準じた項目が多く見られます。戦略としては、次ページ以降に記載したこの章の例題を、広く浅めに攻めることが現実的ではないでしょうか。

移動はしごの例

両級とも、ヤマを張って少数のテーマに決めつける学習法は危険です。視野を広く持ちつつも、その中で優先順位を決めて、温度差をつけた勉強法が望ましいと考えられます。

5-1 ［熱中症予防］

▶▶▶ 演習問題・記述例 ◀◀◀

演習問題 電気通信工事における次の項目に関して、「労働安全衛生法令」に沿った労働災害防止対策について、具体的に記述しなさい。

・熱中症予防

ポイント▶ 熱中症は、近年注目されている労働災害である。夏だから、暑いからといった受け身の姿勢では、監督者としての指導能力が疑われる。法令に沿った対策はもとより、各関係者から創意工夫を引き出す力も必要とされる。

〔記述例〕

• **例1**

暑熱または多湿の屋内作業場においては、冷房、通風等の適切な温湿度調節の措置を講じ、暑さ指数 WBGT 値の低減に努める。

（根拠法令：労働安全衛生規則　第606条）

• **例2**

著しく暑熱、あるいは多湿といった有害な作業環境の場合は、作業場の外部の近隣に、適切な環境の休憩設備を設ける。

（根拠法令：労働安全衛生規則　第614条）

休憩設備の例

• **例3**

多量の発汗を伴うことが想定される作業場においては、作業者が定期的かつ容易に補給できるよう、塩および飲料水を配備する。

（根拠法令：労働安全衛生規則　第617条）

• **例4**

多量の高熱物体を取り扱う場所や著しく暑熱な場所には、関係者以外の者が立入ることを禁止し、その旨を見やすく表示する。

（根拠法令：労働安全衛生規則　第585条）

• **例5**

熱中症の原因や症状、予防方法について、雇入れ時や新規入場時はもとより、日々のTBM 時等の機会で繰返し教育する。

（根拠法令：労働安全衛生規則　第35条、第40条）

5-2 ［作業場内の通路］

▶▶▶ 演習問題・記述例 ◀◀◀

演習問題 電気通信工事に関する次の事項について、「労働安全衛生法令」に沿った労働災害防止対策について、具体的に記述しなさい。

・作業場内の通路

ポイント▶ 作業場内の通路は、単に設ければよいというものではない。事故や災害を未然に防ぐために、必要な措置をとることが法令で規定されている。

〔記述例〕

・例1

作業場に通ずる場所や作業場内には、安全な通路を設けて、これを常時有効に保持する。

（根拠法令：労働安全衛生規則　第540条）

・例2

通行する者が照明具を所持する場合を除いて、通路には、充分な採光あるいは照明の設備を設ける。

（根拠法令：労働安全衛生規則　第541条）

・例3

通路は用途に応じた幅を有するものとし、通路面から高さ1.8m以内に障害物を設けない。

（根拠法令：労働安全衛生規則　第542条）

通路の例

・例4

屋内に設ける通路については、通路面は、つまずき、すべり、踏抜等の危険のない状態に保持する。

（根拠法令：労働安全衛生規則　第542条）

・例5

墜落の危険のある箇所には、高さ85cm以上の手すりや、これと同等以上の機能の設備を設ける。

（根拠法令：労働安全衛生規則　第552条）

5-3 ［移動はしご作業］

▶▶▶ 演習問題・記述例 ◀◀◀

演習問題 電気通信工事における次の項目に関して、「労働安全衛生法令」に沿った労働災害防止対策について、具体的に記述しなさい。

・移動はしご作業

ポイント▶ 脚立作業と同様に、移動はしご作業は施工管理技術検定の中ではたびたび登場する、定番の設問といえる。現場における事故を未然に防ぐためにはどのような対策が必要か、詳細を把握しておきたい。

〔記述例〕

• 例1

移動はしごは丈夫な構造であって、事故の経歴や故障がなく、著しい損傷や腐食等が認められないものを選択する。

（根拠法令：労働安全衛生規則　第527条　第1項、第2項）

• 例2

転倒事故や墜落事故を防止するため、幅は30cm以上の物を使用し、必要に応じて移動はしごを押さえる補助者を配置する。

（根拠法令：労働安全衛生規則　第527条　第3項）

• 例3

設置する場所は水平で安定した強固な地盤を選び、すべり止め装置を取り付ける等、転位を防ぐために必要な措置を講ずる。

（根拠法令：労働安全衛生規則　第527条　第3項）

• 例4

2m以上の作業となる場合は、強風、大雨、大雪等の悪天候により危険が予想される際は、当該の作業を実施させない。

（根拠法令：労働安全衛生規則　第522条）

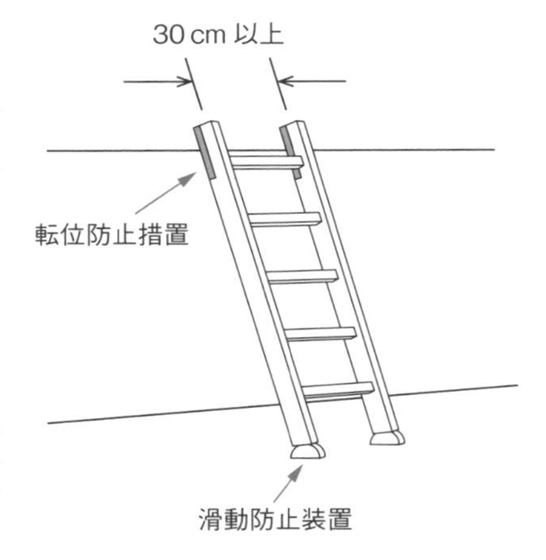

■移動はしご作業の留意点

5-4 ［脚立作業］

▶▶▶ 演習問題・記述例 ◀◀◀

演習問題 電気通信工事における次の項目に関して、「労働安全衛生法令」に沿った労働災害防止対策について、具体的に記述しなさい。

・脚立作業

ポイント▶ 脚立作業に限らないが、作業中の高所からの墜落事故の事例は、他の災害と比べて格段に多い。労働安全衛生法令にて制定されている対策は、監督者として最低限把握しておきたい。

〔記述例〕

• 例1

脚立は丈夫な構造であって、事故の経歴や故障がなく、著しい損傷や腐食等が認められないものを選択する。

（根拠法令：労働安全衛生規則　第528条　第1項、第2項）

• 例2

脚と水平面との角度は75度以下とし、折りたたみ式のものは、脚と水平面との角度を確実に保つ金具を備えたものを用いる。

（根拠法令：労働安全衛生規則　第528条　第3項）

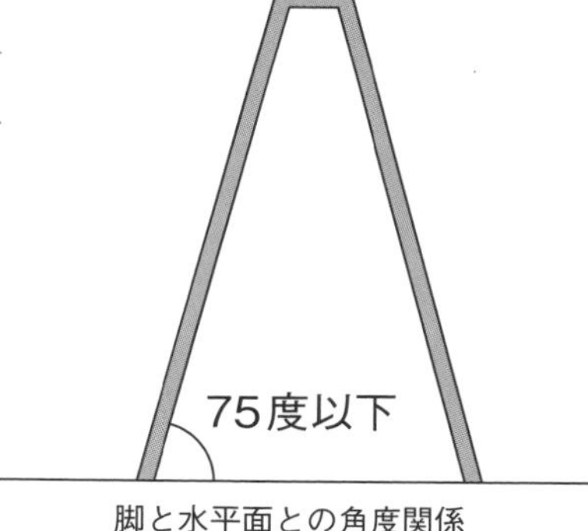

脚と水平面との角度関係

• 例3

踏み面は作業を安全に実施するために必要な面積を有するものを選択し、踏み面に直接乗った状態での作業は行わせない。

（根拠法令：労働安全衛生規則　第528条　第4項）

• 例4

2m 以上の作業となる場合は、強風、大雨、大雪等の悪天候により危険が予想される際は、当該の作業を実施させない。

（根拠法令：労働安全衛生規則　第522条）

5-5 ［墜落災害］

演習問題・記述例

演習問題

電気通信工事における次の項目に関して、「労働安全衛生法令」に沿った労働災害防止対策について、具体的に記述しなさい。

・墜落災害

ポイント

墜落とは、人間が高い場所から落ちる事故のことである。人間の墜落と、物の落下とを混同するケースが見受けられるが、これは監督者としてあるまじき行為である。両者は根本的に異なる概念であるので、要注意のこと。

〔記述例〕

・例1

高さ2m以上の高所作業を実施する際に、墜落の危険が懸念される場合は、仮設足場を組み立てる等によって作業床を設ける。

（根拠法令：労働安全衛生規則　第518条）

作業床の例

・例2

強風や大雨、大雪等の悪天候によって、高所作業の実施について危険が予想される場合は、当該作業に従事させない。

（根拠法令：労働安全衛生規則　第522条）

・例3

高さ2m以上で作業床を設けることが困難な場合において、フルハーネス型の墜落制止用器具を用いる際は、特別教育を行う。

（根拠法令：労働安全衛生法　第59条の3、労働安全衛生規則　第36条　第41項）

・例4

墜落の懸念があるが作業床を設けることが困難な場合は、防網を張り、作業者に要求性能墜落制止用器具を使用させる。

（根拠法令：労働安全衛生規則　第518条　第2項）

5-6 ［飛来・落下災害］

▶▶▶ 演習問題・記述例 ◀◀◀

演習問題

電気通信工事における次の項目に関して、「労働安全衛生法令」に沿った労働災害防止対策について、具体的に記述しなさい。

・飛来・落下災害

ポイント▶ 工具や材料等を落下させてしまうと、下部の作業者や、最悪の場合には一般の通行者に接触する事故を招く可能性がある。こうした事故を未然に防止するために、法令ではどのように謳われているのか把握しておきたい。

〔記述例〕

・例1

物体が落下することによって危険を及ぼす懸念がある場合は、防網を設け、立入禁止区域を設定する等の措置を講じる。

（根拠法令：労働安全衛生規則　第537条）

・例2

足場による高さ2m以上の作業場所では、メッシュシートや防網等の設備を設けるか、作業床に高さ10cm以上の幅木を設ける。

（根拠法令：労働安全衛生規則　第563条　第6項）

飛来・落下災害の防止対策の例

・例3

3m以上の高所から物体を投下する際には、投下設備を設けるか、監視人を配置する。これができない場合は投下させない。

（根拠法令：労働安全衛生規則　第536条）

・例4

物体が飛来することによって危険を及ぼす懸念がある場合は、飛来防止の設備を設け、作業者には保護具を使用させる。

（根拠法令：労働安全衛生規則　第538条）

5-7 ［足場の組立・解体作業］

▶▶▶ 演習問題・記述例 ◀◀◀

演習問題

電気通信工事に関する次の事項について、「労働安全衛生法令」に沿った労働災害防止対策について、具体的に記述しなさい。

・足場の組立・解体作業

ポイント▶ 「足場の組立・解体作業」と「足場上での作業」は異なる概念である。混同しないようにしたい。また足場の高さによっても、措置が異なる点に注意。

〔記述例〕

・例1

厚生労働省令で定める危険な業務に該当するため、作業者には事前に特別教育を行う。

（根拠法令：労働安全衛生規則　第36条の39）

・例2

高さ5m以上の構造の場合には、技能講習を修了した者のうちから、作業主任者を選任する。

（根拠法令：労働安全衛生規則　第565条）

・例3

強風、大雨、大雪等の悪天候のため、作業の実施について危険が予想されるときは、作業を中止する。

（根拠法令：労働安全衛生規則　第564条の3）

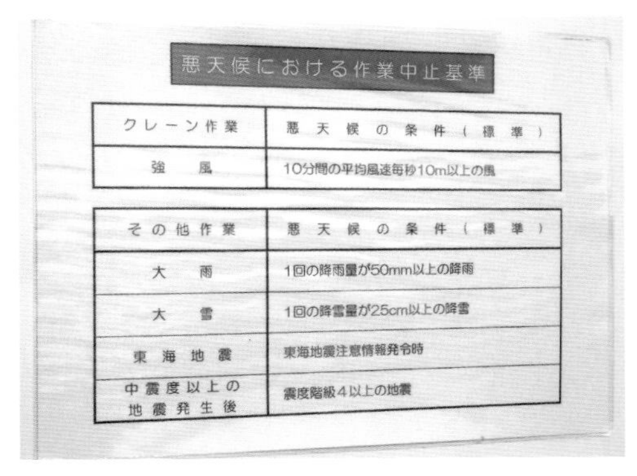

悪天候時の作業中止基準の例

・例4

組立て、解体の作業を行う区域内には、関係作業者以外の作業者の立入りを禁止する。

（根拠法令：労働安全衛生規則　第564条の2）

・例5

高さ5m未満の構造の場合には、作業を指揮する者を指名して、その者に直接作業を指揮させる。

（根拠法令：労働安全衛生規則　第529条）

5-8 ［足場作業］

▶▶▶ 演習問題・記述例 ◀◀◀

演習問題 電気通信工事における次の項目に関して、「労働安全衛生法令」に沿った労働災害防止対策について、具体的に記述しなさい。

・高さ2m以上の足場作業（移動足場を除く）

ポイント▶ 足場が崩落すると、足場上で作業していた者だけでなく、下部の作業者まで巻き込んだ事故に発展しやすい。さらには、崩れた足場本体や、足場上にあった資材等が飛散して、近隣の一般者にも影響が拡大する危険性がある。

〔記述例〕

• **例1**

足場を設ける際には、構造および材料に応じて作業床の最大積載荷重を定める。これを関係者に周知し、遵守することによって、足場の倒壊事故を防止する。

最大積載荷重の掲示例

（根拠法令：労働安全衛生規則　第562条）

• **例2**

足場は丈夫な構造のものとし、著しい損傷、変形または腐食のあるものは用いない。また、木材を使用する場合は強度上の著しい欠点がないものを用いる。

（根拠法令：労働安全衛生規則　第559条、第561条）

• **例3**

床材は2以上の支持物に取り付けるものとする。これらの支持物は、かかる荷重によって破壊するおそれないものを使用し、倒壊事故を防止する。

（根拠法令：労働安全衛生規則　第563条　第1項）

• **例4**

その日の足場作業の開始前に、足場用墜落防止設備の取り外しや脱落の有無を点検させ、異常を認めたときは、直ちに補修する。

（根拠法令：労働安全衛生規則　第567条）

足場の例

5-9 ［感電災害］

演習問題・記述例

演習問題 電気通信工事における次の項目に関して、「労働安全衛生法令」に沿った労働災害防止対策について、具体的に記述しなさい。

・感電災害

ポイント 電気通信回線で用いる最高電圧は100Vであるため、大きな感電災害にはなりにくい。しかし、高圧の活線電路に近接して作業を行うケース等も想定されるため、監督者としては知っておかなければならない。

〔記述例〕

• 例1

高圧の充電電路に接触したり接近することで感電の危険が懸念されるときは、当該充電電路に絶縁用防具を装着する。

（根拠法令：労働安全衛生規則　第342条）

• 例2

停電作業を行う際は、開閉器の施錠、通電禁止の表示、監視人の配置、短絡接地器具の状態の確認後に着手を指示する。

（根拠法令：労働安全衛生規則　第350条）

充電電路の絶縁用防具の例

• 例3

絶縁用保護具等については、6か月以内ごとに1回、定期に絶縁性能について自主検査を行い、異常があれば補修を行う。

（根拠法令：労働安全衛生規則　第351条）

• 例4

絶縁被覆を有するものや移動電線は、絶縁被覆が損傷したり老化によって、感電の危険が生じないように措置を講じる。

（根拠法令：労働安全衛生規則　第336条）

5-10 ［型枠支保工の組立・解体］

演習問題・記述例

演習問題

電気通信工事における次の項目に関して、「労働安全衛生法令」に沿った労働災害防止対策について、具体的に記述しなさい。

・型枠支保工の組立・解体

ポイント▶ 型枠支保工は、コンクリートを打設する際の型枠の固定に用いる金具類のことである。設計や施工に手落ちがあると、コンクリートの重量に耐えきれずに型枠が膨らんだり、支保工が崩壊する懸念があるため、注意したい。

〔記述例〕

・例1

型枠支保工の組立または解体の作業を実施するにあたっては、当該作業を行う区域内には、関係作業者以外の作業者の立入りを禁止する。

（根拠法令：労働安全衛生規則　第245条　第1項）

・例2

大雨や強風、大雪等の悪天候のため、作業を実施するにあたって危険が予想される場合は、作業者を従事させてはならない。

（根拠法令：労働安全衛生規則　第245条　第2項）

・例3

型枠支保工の組立等作業主任者技能講習を修了した者のうちから、作業主任者を選任して、その者に作業の方法を決定させ、作業を直接指揮させる。

（根拠法令：労働安全衛生規則　第246条、第247条）

・例4

型枠支保工を組み立てる際は、部材の配置、接合の方法および寸法が示された組立図を作成し、かつ当該の組立図により組立を実施させる。

（根拠法令：労働安全衛生規則　第240条）

型枠支保工の例

5-11 [高所作業車]

演習問題・記述例

演習問題
電気通信工事における次の項目に関して、「労働安全衛生法令」に沿った労働災害防止対策について、具体的に記述しなさい。
・高所作業車

ポイント 高所作業車はバランスが悪く、転倒事故を招く危険性がある。これによって作業者はもとより、一般の通行者をも巻き込んだ事故に発展する可能性があるため、労働安全衛生法令に準拠した対策は最低限必要である。

〔記述例〕

• **例1**

高所作業車の操作は、作業床が10m以上であれば技能講習修了者に行わせ、10m未満のものは特別教育修了者でもよい。

（根拠法令：労働安全衛生規則　第36条　第10項の5、第79条）

• **例2**

作業床以外の箇所で作業床を操作するときは、連絡を確実にするために一定の合図を定め、合図者を指名して実施させる。

（根拠法令：労働安全衛生規則　第194条　第12項）

• **例3**

作業実施時は、転倒や転落等の事故を防止するため、アウトリガを確実に張出す。また安全装置を許可なく解除させない。

（根拠法令：労働安全衛生規則　第194条　第11項）

• **例4**

運転者が運転位置から離れる際は、作業床を最低位置まで下げ、原動機を止め、ブレーキを確実にかけて逸走を防止する。

（根拠法令：労働安全衛生規則　第194条　第13項）

高所作業車（10m未満）の例

5-12 ［電動工具使用作業］

▶▶▶ 演習問題・記述例 ◀◀◀

演習問題 電気通信工事における次の項目に関して、「労働安全衛生法令」に沿った労働災害防止対策について、具体的に記述しなさい。

・電動工具使用作業

ポイント▶ 労働安全衛生法令では、電動工具を用いた作業にあたっては、主に感電による危険を懸念した条文が多い。監督者の立場として、同法令に準拠した対策ができているか、再確認したい。

〔記述例〕

・例1

電動工具の充電部分で、作業中や通行時に接触するおそれがあるものは、感電防止のために囲いや絶縁覆いを設ける。

（根拠法令：労働安全衛生規則　第329条）

・例2

対地電圧150V超で移動式や可搬式のものは、漏電による感電を防止するため、確実に作動する漏電遮断器を接続する。

（根拠法令：労働安全衛生規則　第333条）

・例3

作業を実施する際は、感電や誤操作による危険を防止するため、電動工具の操作部分について必要な照度を保持する。

（根拠法令：労働安全衛生規則　第335条）

・例4

使用を開始する前に点検を行って、異常が認められる場合には使用前に補修を行うか、または取り換える措置をとる。

（根拠法令：労働安全衛生規則　第352条）

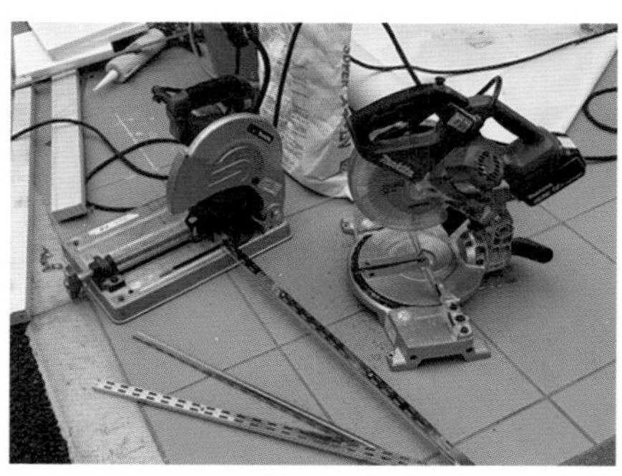

電動工具の例

5-13 ［掘削作業］

演習問題・記述例

演習問題 電気通信工事における次の項目に関して、「労働安全衛生法令」に沿った労働災害防止対策について、具体的に記述しなさい。

・掘削作業

ポイント 掘削作業は、地山が崩落する事故の引き金となり得る。これによって、作業者が土砂の下敷きになる懸念があるだけでなく、崩落した地盤の上部にいた一般者にも被害を与える危険性がある。こうした事故は未然に防ぎたい。

〔記述例〕

・**例1**

地山の掘削および土止め支保工作業主任者技能講習を修了した者のうちから、作業主任者を選任して作業の方法を決定し、作業を直接指揮させる。

（根拠法令：労働安全衛生規則　第359条、第360条）

・**例2**

地山の崩壊や土石の落下により危険を及ぼすおそれのあるときは、土止め支保工を設け、防護網を張り、立入りを禁止する等の危険を防止するための措置を講じる。

（根拠法令：労働安全衛生規則　第361条）

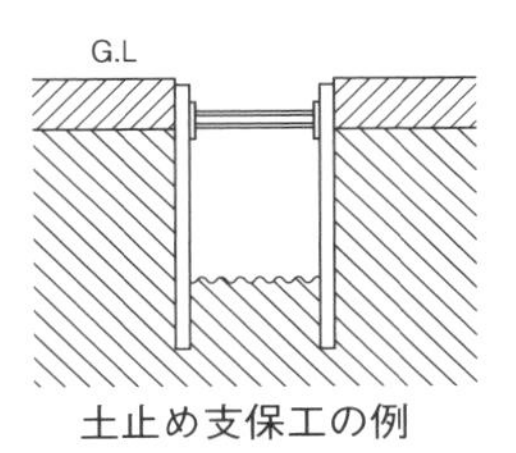

土止め支保工の例

・**例3**

地山の崩壊または土石の落下による作業者の危険を防止するため、点検者を指名して、作業箇所およびその周辺の地山について点検をさせる。

（根拠法令：労働安全衛生規則　第358条）

・**例4**

掘削作業で露出したガス導管の損壊により危険を及ぼすおそれのある場合は、つり防護、受け防護等によるガス導管の防護を行い、またはガス導管を移設する等の措置を施す。

（根拠法令：労働安全衛生規則　第362条　第2項）

掘削作業の例

5-14 ［重機を用いた作業］

▶▶▶ 演習問題・記述例 ◀◀◀

演習問題 電気通信工事における次の項目に関して、「労働安全衛生法令」に沿った労働災害防止対策について、具体的に記述しなさい。

・重機を用いた作業

ポイント▶ 重機を使用した作業では、状況によっては大事故につながりかねない危険性を持つ。法定の点検や操作者が持つべき資格関係の事前確認はもとより、労働安全衛生法令に準拠した、基本的な事故対策を理解しておきたい。

〔記述例〕

• **例1**

車両系建設機械を用いるときは、誘導者を配置する場合を除き、運転中に接触することで危険が生ずるおそれのある箇所に、作業者を立入らせない。

（根拠法令：労働安全衛生規則　第158条）

• **例2**

路肩、傾斜地等で車両系建設機械を用いる場合に、転倒または転落により危険が生ずるおそれのあるときは、誘導者を配置してその者の誘導によって運転させる。

（根拠法令：労働安全衛生規則　第157条　第2項）

車両系建設機械の例

• **例3**

運転者が運転位置から離れる場合は、作業装置を地上に下ろし、原動機を止め、かつ走行ブレーキをかける等の逸走を防止する措置を講じる。

（根拠法令：労働安全衛生規則　第160条）

• **例4**

パワーショベルで荷を吊り上げたり、クラムシェルで作業者を昇降させたりする等、当該の重機の本来の用途以外の用途に使用させない。

（根拠法令：労働安全衛生規則　第164条）

重機作業の例

5-15 ［移動式クレーン作業］

▶▶▶ 演習問題・記述例 ◀◀◀

演習問題

電気通信工事における次の項目に関して、「労働安全衛生法令」に沿った労働災害防止対策について、具体的に記述しなさい。

・移動式クレーン作業

ポイント▶ クレーン作業では、吊り荷が落下する事故の他、クレーン自体が横転する事故の危険性が考えられる。こういった事故を防ぐために、監督者としては、法令に沿った安全対策は最低限把握しておかなければならない。

〔記述例〕

・例1

移動式クレーンの操作にあたっては、吊り上げ荷重1トン未満は運転特別教育、5トン未満は運転技能講習、5トン以上は運転士免許を受けた者に行わせなければならない。

（根拠法令：労働安全衛生規則　第41条、第36条）

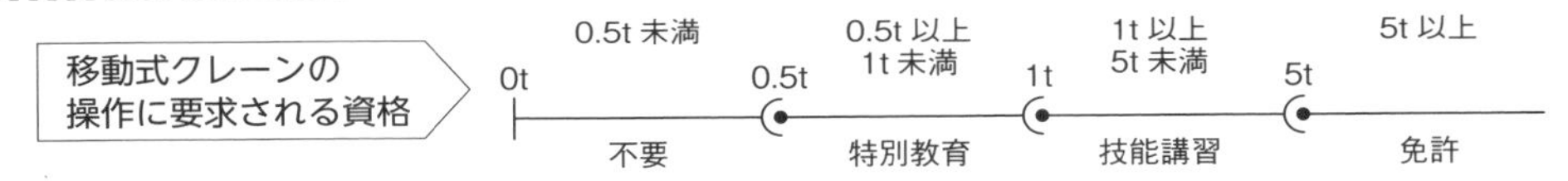

・例2

誤認による事故を未然に防止するため、クレーンの運転についての合図を統一的に定め、これを関係請負人に周知させる。

（根拠法令：労働安全衛生規則　第639条）

・例3

ハッカーを用いて玉掛けをした荷が吊り上げられているときは、その荷の下に作業者を立ち入らせてはならない。

（根拠法令：クレーン等安全規則　第29条）

・例4

アウトリガまたはクローラは、張出し幅に応じた定格荷重を下回ることが確実な場合を除き、最大限に張出さなければならない。

（根拠法令：クレーン等安全規則　第70条の5）

移動式クレーン（5t以上）の例

5-16 ［玉掛け作業］

▶▶▶ 演習問題・記述例 ◀◀◀

演習問題 電気通信工事に関する次の事項について、「労働安全衛生法令」に沿った労働災害防止対策について、具体的に記述しなさい。

・玉掛け作業

ポイント▶ 「玉掛け」とは、重量物をクレーンやデリックで持ち上げる際に、荷物をフック等に掛けたり外したりする作業のことである。作業に携わるには、特別教育または技能講習の受講が必要となる。

〔記述例〕

・例１

吊り上げ荷重が１トン未満となる場合には、従事する作業者には事前に特別教育を行う。

（根拠法令：労働安全衛生規則　第36条の19）

・例２

吊り上げ荷重が１トン以上となる場合には、従事する作業者には事前に技能講習を受講させる。

（根拠法令：労働安全衛生法施行令　第20条の16）

・例３

玉掛けに用いるワイヤロープの安全係数については、６以上とする。

（根拠法令：労働安全衛生規則　第469条）

・例４

玉掛けに用いるフックまたはシャックルの安全係数については、５以上とする。

（根拠法令：労働安全衛生規則　第470条）

・例５

キンクや著しい形くずれ、腐食等があるような、不適格なワイヤロープを使用しない。

（根拠法令：労働安全衛生規則　第471条）

玉掛け作業の例

5-17 ［酸素欠乏危険場所での作業］

演習問題・記述例

演習問題 電気通信工事における次の項目に関して、「労働安全衛生法令」に沿った労働災害防止対策について、具体的に記述しなさい。

・酸素欠乏危険場所での作業

ポイント マンホールの内部等、酸素濃度が低くなっている可能性のある場所では、人が立ち入った際に酸欠事故が発生するおそれがある。他の災害と異なり、目に見えない危険性であるから、十二分な安全対策が要求される。

〔記述例〕

• 例1

酸素欠乏危険場所において作業を実施する際には、酸素欠乏・硫化水素危険作業主任者の技能講習を修了した者の中から、作業主任者を選任する。

（根拠法令：労働安全衛生規則　第16条）

• 例2

その日の作業を開始する前に作業を実施する場所の空気中の酸素濃度を測定して、18％以上となるように換気を行う。

（根拠法令：酸素欠乏症等防止規則　第11条）

■酸素欠乏危険場所の例

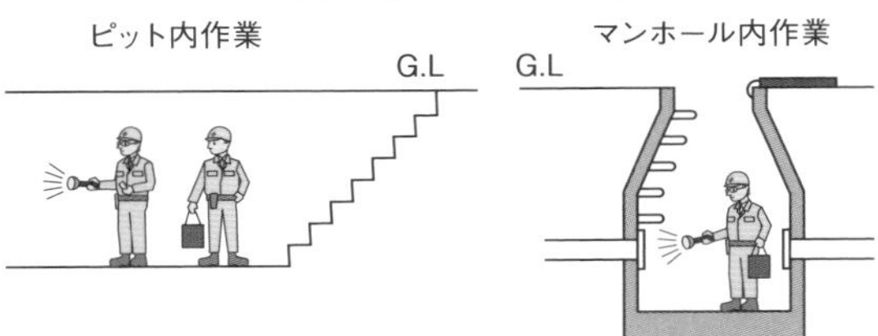

• 例3

当該作業を行う場所に作業者を入場させるとき、および退場させるときに人員を点検して、これが一致しなければならない。

（根拠法令：酸素欠乏症等防止規則　第8条）

• 例4

危険または有害な業務であるから、担当する作業者は、酸素欠乏・硫化水素危険作業者の特別教育を修了していなければならない。

（根拠法令：労働安全衛生規則　第36条）

酸素欠乏・硫化水素危険作業者 特別教育修了証

氏　名

修了番号　19LS09

生年月日　197　日

所属会社　のぞみテクノロジー
実施会社

労働安全衛生法その他関係規定に基づく表記教育の全課程を修了したことを証明する。

2019年9月　日

一般社団法人 建設不動産総合研修センター

特別教育終了証の例

● COLUMN ●

労働災害が潜む現場の例

●高所作業車(10m以上)の例

●掘削作業の例

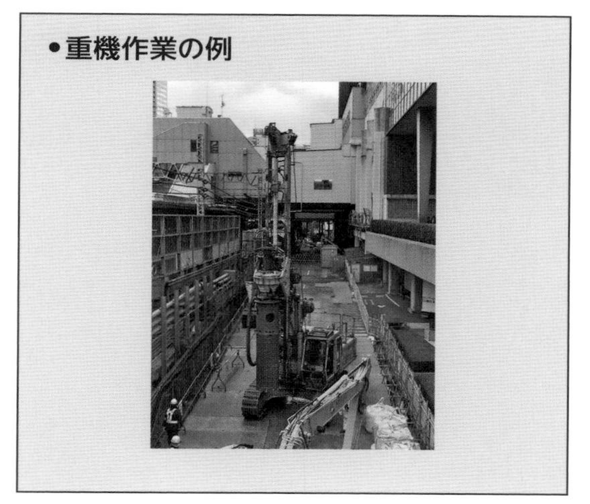
●重機作業の例

●型枠支保工の例

●移動式クレーンのアウトリガの例

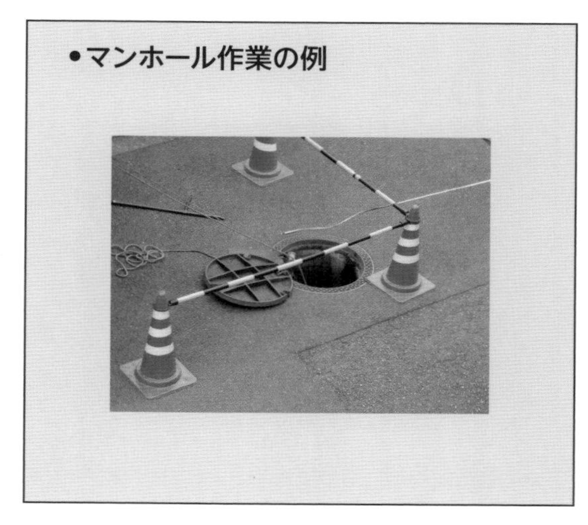
●マンホール作業の例

安全管理用語 2級のみ

安全管理用語の学習にあたって

この6章で扱う「安全管理用語」の課題は、4章の「ネットワーク工程表」、または5章の「労働災害防止対策」とセットとなっています。この3者のいずれかが出題されます。どれが出題されるかは事前にはわかりません。

● 2級のみの出題

この安全管理用語の設問は、2級のみで出題されます。よって1級のみの受験者は、この章は読み飛ばして構いません。

● 出題の形式

【問題　3】 電気通信工事の現場で行う安全管理に関する用語を選択欄の中から**2つ**選び，解答欄に**用語**を記入のうえ，「労働安全衛生法令」等に沿った**活動内容や対応**又は**概要**について，それぞれ具体的に記述しなさい。

選択欄

1．4S 活動	2．雇入れ時の安全衛生教育	3．TBM
4．熱中症の手当	5．安全管理者の職務	

注）TBM（Tool Box Meeting）

2次検定の6つ目の課題として設定されるジャンルは、「安全管理用語」である。この設問は2級のみの出題となっている。したがって、1級受験者はこの章は飛ばしてよい。

この課題は、4章～6章の中でいずれか1つが出題される形式である。これは試験期によって区分けされるため、受験者のほうで選択することはできない。出題された形で解答するしかない。

むしろ逆に、4章～6章でどの課題が出題されるかは確率が1/3のため、他の章と比較すると取り組む優先順位は低くてもよい。

設問の形式は安全管理にまつわる語句が5個提示されて、その中から2題を選択して解答するものである。

実際の設問は、このような形式で出題されます。問題の本文に「労働安全衛生法令等に沿った」とありますが、この文言はあまり神経質に考えなくてよいでしょう。あくまで一般的な概要や活動内容を記載していけばよいです。

●出題の傾向

過去5年分しか記録はありませんが、各検定期の出題実績は下表のようになります。詳しくは、P10の「2級の問題3について」も合わせてご参照ください。

年度	設問ジャンル
令和1年	ネットワーク工程表
令和2年	安全管理用語
令和3年	ネットワーク工程表
令和4年	労働災害防止対策
令和5年	ネットワーク工程表

●記述の手法

採点のポイントは、本気で災害を起こさない固い決意が見えるかどうかです。出題された語句に対して、安全管理を行う側面から、活動内容や概要を簡潔に記述します。

その際に、一作業者の立ち位置で見た場合の表現では、減点の対象になると考えられます。あくまで自身が監督者としての目線で書かなければなりません。

本設問に対する具体的な学習について、次ページ以降のサンプルをご参照ください。

●文字量はあまり少なすぎないように

文字量の目安は、概ね45～65文字程度で書けるようにしておきたいところです。文字の量は採点にはあまり影響しないと考えられますが、解答欄が想定以上に大きい場合に、空白が目立ってしまうのはあまり印象がよくありません。その際は、次ページ以降の複数のサンプルを組み合わせて、なるべく空白がなくなるように工夫しましょう。

6-1 ［4 S運動］

演習問題・記述例

演習問題 安全管理に関する次の語句について、内容を２つ具体的に記述しなさい。

・4 S運動

ポイント 4S運動、あるいは5Sや6S等、建設現場ではお馴染みのフレーズである。4Sに「しつけ」を加えたものが5Sであり、さらに「作法」を追加したものが6Sと呼ばれる。これらの中身を、しっかり認識しておきたい。

〔記述例〕

• 例1

4Sとは整理、整頓、清潔、清掃の頭文字をとった略称であり、安全で健康に留意し、作業効率の向上を目指す活動のことである。

• 例2

整理とは、工具や材料等を区分し、すぐに必要としない物や不具合品等を現場から取り除いて、秩序を整えること。

• 例3

整頓とは、工具や材料等を定められた場所に所要の数量を用意し、いつでも容易に取り出せる状態にしておくこと。

• 例4

清潔とは、作業現場の状況だけでなく、そこに出入りする関係者についても綺麗で汚れがなく、衛生的な状態を保つこと。

• 例5

清掃とは、ゴミや埃、あるいは作業にて発生した廃材や廃液等を、所定の廃棄場所に集積し、または掃除機で吸い取ること。

4Sに「しつけ」と「作法」を加えた、6S運動の例

6-2 ［危険予知活動］

▶▶▶ 演習問題・記述例 ◀◀◀

演習問題 安全管理に関する次の語句について、内容を２つ具体的に記述しなさい。
・危険予知活動（KYK）

ポイント▶ 施工管理における４大管理のうち、安全管理の視点で捉えていく。工期と品質を満足しながら、無事故で竣工を迎えるためには、どういった点に留意するべきなのか。監督者としての能力が問われる部分である。

〔記述例〕

• **例１**
工事現場や危険作業に従事する際に、ケースを設定する等テーマを定め、その中にどのような危険が潜んでいるかを参加者全員で出し合う。

• **例２**
抽出された危険な事象について、放置しておくとどのような災害に発展するかを話し合い、その災害を未然に防ぐための対策を考える。

• **例３**
ベテランにとっては当たり前の事象であっても、経験の浅い者には認識できないケースも多々あるため、些細な事象であっても出し合う。

• **例４**
参加者の安全に対する意識を向上させるための活動であり、全員が当事者意識を持ち、絶対に事故を起こさないという強い決意が大切である。

• **例５**
現場においてツールボックスミーティングと合わせて実施するケースが多いが、事業所内で定期教育活動の一環として行う場合もある。

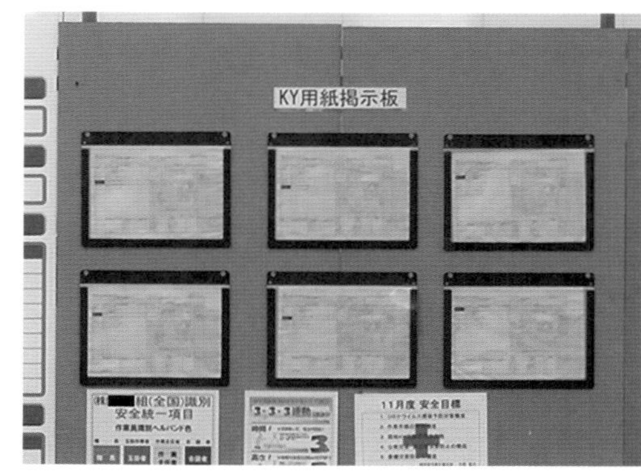

危険予知活動の例

6-3 ［ツールボックスミーティング］

演習問題・記述例

演習問題

安全管理に関する次の語句について、内容を２つ具体的に記述しなさい。

・ツールボックスミーティング

ポイント　あくまで監督者としての目線で、事故を未然に防ぐことを念頭に置いた場合に、どういった点に着目すべきかを論ずるものである。作業者の立場で、ツールボックスミーティングにどう取り組むかを記述するのではない。

〔記述例〕

• 例１

作業開始前に、当日の作業に関しての注意事項等を話し合う安全教育の１つである。参加する各人の安全意識を高めることが狙いである。

• 例２

時間的には１０分前後で実施する場合が多い。各参加者の服装や身なり等の確認、安全帯の装着状況、健康状態等を相互確認する。

• 例３

工事は日々進展していくため、現場は前日の状況とは異なっている可能性が高く、開口部や段差等の危険個所を参加者に周知する。

• 例４

各参加者が前日に経験したヒヤリハット事象や問題点等を出し合い、これを改善するための方策を提案させ、当日の作業に反映する。

• 例５

当日の作業内容や場所、時間、および使用材料、工具等を確認するとともに、特殊な作業や危険作業について注意喚起を行う。

• 例６

経験の浅い作業者がいる場合には、専門用語や略称を多用せずに、勘違いや作業ミスが発生しないように留意する。

6-4 ［ヒヤリハット運動］

演習問題・記述例

演習問題 安全管理に関する次の語句について、内容を２つ具体的に記述しなさい。

・ヒヤリハット運動

ポイント 事故や災害は、一度発生させてしまうと取り返しがつかない。そのため、絶対に安全に竣工させるという固い決意が不可欠である。これは決して精神論ではなく、事前のトレーニングによって実現性を高めることが可能である。

〔記述例〕

・例１

事故や災害には至らないものの、これらの要因となる小さなミスや不具合等を報告し合い、メンバーで共有し、今後の改善につなげていく活動。

・例２

抽出された危険な事象について、放置しておくとどのような災害に発展するかを話し合い、その災害を未然に防ぐための対策を考える。

・例３

多くの事例を集めて文書として記録に残し、事前の対策と危険の認識を深めることで、重大な事故を未然に防ぐ安全活動の１つである。

・例４

ベテランにとっては当たり前の事象であっても、経験の浅い者には認識できないケースも多々あるため、些細な事象であっても出し合う。

・例５

ハインリッヒの法則では、１件の重大な事故や災害の背景には２９件の軽微な事故・災害が隠れており、さらに３００件のヒヤリハットが潜在している。

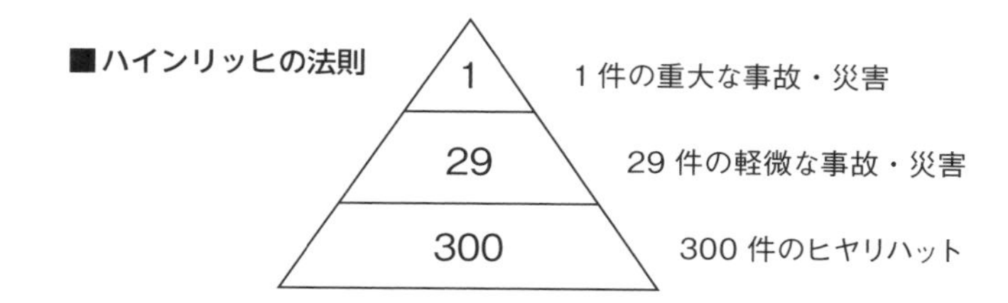

6-5 ［新規入場者教育］

▶▶▶ 演習問題・記述例 ◀◀◀

演習問題

安全管理に関する次の語句について、内容を２つ具体的に記述しなさい。

・新規入場者教育

ポイント▶ この設問の主旨は、監督者の目線で事故を未然に防ぐことを軸に考えた場合に、どういった点に着目すべきかを論ずるものである。作業者の立場で、新規入場者教育をどのように受講するかを記述するのではない。

〔記述例〕

• 例１

新規に雇い入れたときや作業内容を変更した際には、安全または衛生に関しての教育を実施するよう、法令で規定されている。

• 例２

現場に新規に入場する作業者に対しては、事業者はその者の経験や技術力を踏まえた上で、現場特有のルールや慣習について教育を行う。

• 例３

経験豊富なベテランでも、新規の現場では不慣れな機械や材料を取り扱うケースがあるから、教育内容を軽視させないよう留意する。

• 例４

危険性や有害性を伴う作業については、具体的な災害事例を示す等、特に重点的なカリキュラムを組み立てて実施する。

• 例５

教育担当者にも相応のスキルが求められるため、形骸化しないように常に最新の情報をとり入れ、ブラッシュアップすることが大切である。

6-6 ［安全管理者の職務］

▶▶▶ 演習問題・記述例 ◀◀◀

演習問題

安全管理に関する次の語句について、内容を２つ具体的に記述しなさい。
・安全管理者の職務

ポイント▶ 安全管理者の職務については、労働安全衛生法による定義があるため、法令の条文に沿った記述が望ましい。前節までの安全管理用語とは、やや性格が異なる点に注意したい。

〔記述例〕

・例１
作業場等を巡視して、設備や作業方法等に危険のおそれがある場合は、直ちにその危険を防止するために必要な措置を講じる。

・例２
労働者の安全のための教育を実施するとともに、労働者の危険を防止するための技術的事項を管理する。

・例３
労働災害が発生した場合には、その原因の調査を行って、再発を防止するための対策を施す。

・例４
労働災害を防止するために必要な事項であって、厚生労働省令で定めるものの技術的事項を管理する。

根拠法令等

労働安全衛生法
第三章　安全衛生管理体制　（総括安全衛生管理者）
第１０条　事業者は、政令で定める規模の事業場ごとに、厚生労働省令で定めるところにより、総括安全衛生管理者を選任し、その者に安全管理者、衛生管理者又は第２５条の２第２項の規定により技術的事項を管理する者の指揮をさせるとともに、次の業務を統括管理させなければならない。
１　労働者の危険又は健康障害を防止するための措置に関すること。
２　労働者の安全又は衛生のための教育の実施に関すること。
３　健康診断の実施その他健康の保持増進のための措置に関すること。
４　労働災害の原因の調査及び再発防止対策に関すること。
５　前各号に掲げるもののほか、労働災害を防止するため必要な業務で、厚生労働省令で定めるもの
〔以下略〕

用語記述

用語記述の学習にあたって

●出題の形式（2級の例）

どちらの級種も、単語の形で用語が提示されます。これらの用語について、技術的な内容を記述していきます。両級とも論述形式ですから自身の言葉で明確に説明しなければなりません。

【問題　4】 電気通信工事に関する用語を選択欄の中から**2つ**選び，解答欄に**番号**と**用語**を記入のうえ，**技術的な内容**について，それぞれ具体的に記述しなさい。
ただし，技術的な内容とは，定義，特徴，動作原理，用途，施工上の留意点などをいう。

選択欄

1．ONU	2．SIP
3．衛星テレビ放送	4．防災行政無線
5．GPS	6．公開鍵暗号方式

注）ONU（Optical Network Unit）
SIP（Session Initiation Protocol）
GPS（Global Positioning System）

●1級と2級とで、設問のレベルはほぼ同じ

この設問は、1級と2級とで出題される用語の難易度にはほとんど差はありません。両級の違いは提示される用語の数と、選択すべき用語の数です。どちらの級も選択制ですが、解答すべき数が異なることに留意しておきましょう。

1級 ⇒ 8題提示され、3～4つを選択
2級 ⇒ 6題提示され、2つを選択

2次検定の7つ目の課題は、電気通信に用いられるさまざまな用語の説明記述である。これは1級でも2級でも、どちらも出題される設問である。

通信方式や装置等の用語が複数提示されて、これらの「定義」や「特徴」、「動作原理」、「用途」あるいは「施工上の留意点」等を記述していく。

設問の形式は、1級は8題が出題されて、その中から3つないし4つを選んで解答する選択制である。年度によって、選択すべき数にバラツキがある。仮に4つ選択の年度であれば、出題された用語の半分に答えなくてはならず、しっかりとした学習が必要である。

2級は6題が出題されて、その中から2つを選択する。出題された6題に対して2つだけを選択すればよいから、苦手意識がある用語には無理に手をつける必要はなく、得意な用語に集中して取り組めばよい。

用語そのものの難易度は、どちらの級種であってもあまり変わらないといえる。

つまり両級では勉強すべき量に違いが出てきますが、レベル的には差はないといえます。2級の受験者は、自身が得意とするジャンルを中心に勉強していけばよいでしょう。1級受験者は幅広い学習が必要となります。

●記述の手法

「定義」や「特徴」、「動作原理」、「用途」、あるいは「施工上の留意点」といった技術的な事項を記述することになりますが、これらの全ての項目を解答する必要はありません。用語の説明として充分と思える内容が書けていれば、それで構いません。つまり要点を的確に記述しているかどうかです。

具体的な学習イメージについては、次ページ以降のサンプルをご参照ください。これら複数の項目を適宜組み合わせて、まとまった文字量の解答を作り上げましょう。

●文字量はあまり少なすぎないように

解答する上での文字量は、概ね1級は85 ～ 110文字。2級は100 ～ 125文字を目安にするとよいでしょう。ただし、年度によって解答欄の大きさが変化する可能性もあります。そのため、臨機応変に文字量を調節できるテクニックが必要となってきます。

1級 ⇒ 85～110文字
2級 ⇒ 100～125文字

解答欄が罫線で示されている場合と、大きな四角枠の場合があります。特に後者の場合は、自分で行や文字の大きさをコントロールしなくてはなりません。

●出題傾向の分析●

この章で取り扱う設問について、昨年までに実施された検定での出題実績を以下に示します。これら出題の傾向を把握するとしないとでは、学習の効率に差が出てきます。

闇雲に広い範囲に手をつけるよりも、これらの傾向を踏まえた上で、学習の優先順位を設けるのが戦略的な進め方といえそうです。

◆ 1 級の出題傾向

年度	出題項目	
令和1年	WDM マルチパス IP-VPN TCP/IP	気象用レーダ L3スイッチ ワンセグ放送 OFDM
令和2年	メカニカルスプライス 同軸ケーブル 構内交換機（PBX） LTE	NAT トンネル内ラジオ再放送設備 VoIP ブラウンアンテナ
令和3年	VoIP ゲートウェイ 再生中継方式 デリンジャ現象 プロキシサーバ	QoS DMZ VOD ゼロデイ攻撃
令和4年	GE-PON 携帯電話のローミング CSMA/CA 方式 SaaS	IP sec SQL インジェクション JPEG HFC 型 CATV システム
令和5年	メカニカルスプライス VoIP ゲートウェイ MIMO IPv6	インターネットVPN パケットフィルタリング L2スイッチ ランサムウェア

⬇

令和6年	？

1 級の過去 5 年間に実施された設問を俯瞰すると、上表のように整理できます。傾向としては、2 ～ 4 年前から再出題されている現状が読みとれます。

また、2 年連続で同じ項目は再登場していません。

こうして考えると、前年（令和 5 年）に出題された項目（表中の青文字）については、学習の優先度を下げるのが現実的といえるでしょう。

したがって、これらを省いた上で、一昨年（令和 4 年）以前に出題された項目群を中心に据えつつ、守備範囲を広めに進めていくとよいでしょう。

過去の出題実績にはない用語も、新規問題として登場する可能性があります。自身が得意とするジャンルは得点化できるよう、情報を集めておきましょう。

◆2級の出題傾向

令和1年	ONU SIP 衛星テレビ放送	防災行政無線 GPS 公開鍵暗号方式
令和2年	FTTH 導波管 CDMA	パリティチェック方式 ルータ IPS
令和3年	SIP 量子化雑音 シンクライアントシステム	フラッシュメモリ STB DDoS 攻撃
令和4年	スイッチングハブ シリアルインタフェース IP マルチキャスト	携帯電話のハンドオーバ スパイウェア CATV のヘッドエンド
令和5年	マルチモード光ファイバ（GI 型） 衛星テレビ放送 RAID5	Bluetooth PON ワーム

⬇

令和6年	?

2級も同様に、過去5年間に実施された当該の設問群を俯瞰してみます。こちらも傾向としては、事例は少ないですが、2～4年前から再出題されている実績が見られます。

また、2年連続しての同じ項目の出題はありません。

学習の戦略としては、1級と同様に、前年（令和5年）に出題された項目（表中の青文字）は、優先度を下げてもよいでしょう。

これらを除外した上で、一昨年（令和4年）以前に出題されたものを中心に手掛けるのが、効果的といえます。なお表中の赤文字は、令和4年以前に再出題があった項目を示しています。

新規問題として、過去の出題実績にない用語が出される可能性があります。そのため、自身が得意としている分野については、しっかり得点化できるようにしておきましょう。

どちらの級種も、ヤマを張って少数の項目に決めつける勉強法は好ましくありません。視野は広く持ち、その中で優先順位を決めて、温度差をつけた学習法が望ましいと考えられます。

7-1 [OFDM]

▶▶▶ 演習問題・記述例 ◀◀◀

演習問題

電気通信工事に関する次の用語について、技術的な内容を具体的に記述しなさい。
技術的な内容とは、定義、特徴、動作原理、用途、施工上の留意点、対策等をいう。

・OFDM（Orthogonal Frequency Division Multiplexing）

ポイント▶ 多重化方式の1つであるOFDMに関する設問。有線でも無線でも用いられており、デジタルテレビ放送や無線LAN等のデジタル伝送を支える技術である。

〔記述例〕

・定義

1本の物理回線を複数のチャネルで共有する多重化方式の1つであり、日本語訳では直交周波数分割多重となる。時間軸方向と周波数軸方向の両方を分割してマスを設け、ここに各チャネルのデータを割り当てていくもの。

・特徴

無線伝送にて、反射等により複数のルートを経由して時間的に遅延して到着したマルチパス波による干渉を低減するため、時間軸方向にガードインターバルを設ける。このガードインターバルの波形で、信号の先頭を判別する。

・動作原理

■OFDM方式の概念図

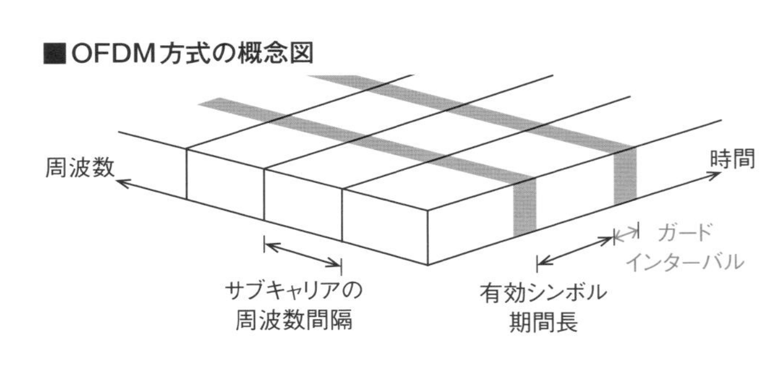

信号を格納するための分割されたマスの大きさには規格がある。時間軸方向の長さである有効シンボル期間長⊿T〔s〕と、周波数軸方向の幅であるサブキャリア間隔⊿f〔Hz〕との間に、⊿T＝1／⊿fの関係がある。

・用途

主に無線LANやデジタルテレビ放送、PLC電力線通信等の伝送方式に用いられている。ユーザが求める通信データ量の大小に応じて、分割されたマスを各ユーザに柔軟に割り振ることが可能で、高速伝送を実現している。

7-2 ［TDM］

▶▶▶ 演習問題・記述例 ◀◀◀

演習問題

電気通信工事に関する次の用語について、技術的な内容を具体的に記述しなさい。
技術的な内容とは、定義、特徴、動作原理、用途、施工上の留意点、対策等をいう。

・TDM（Time Division Multiplexing）

ポイント▶ 多重化方式の1つ、TDMに関する設問である。最新のテクノロジーではないが、デジタル伝送の基本であるため、確実に解答できるようにしておきたい。

〔記述例〕

・定義

1本の物理回線を複数のチャネルで共有する多重化方式の1つであり、日本語訳では時分割多重となる。時間軸方向に均等にマスを設け、各チャネルのデータを順に割り当てていく。デジタル多重としては初期の技術である。

・特徴

有線伝送でも無線伝送でも適応可能である。時間軸方向に切られたマスを「タイムスロット」といい、各チャネルのデータをタイムスロットに周期的に割り当てることで、多数のユーザの情報を同時に伝送することが可能となる。

■TDM方式の概要

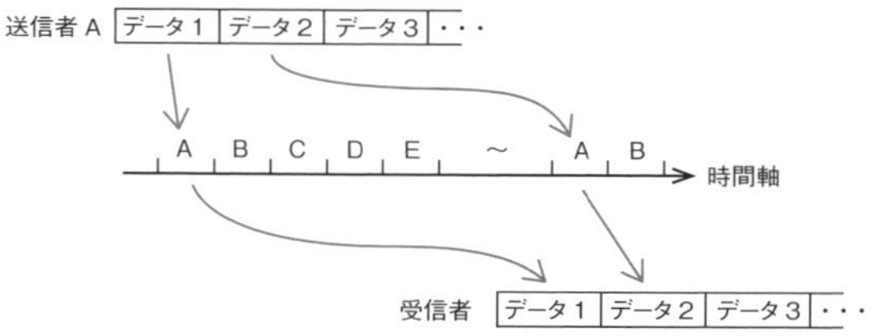

送信者A　データ1　データ2　データ3　・・・
A　B　C　D　E　～　A　B　時間軸
受信者　データ1　データ2　データ3　・・・

・動作原理

送信方は元のデータを所定の長さに細分化し、自チャネルに割り当てられたタイムスロットに順次格納して伝送する。一般的には有線では32チャネル程度、無線では24チャネル程度の収容が可能。受信方は、必要なデータだけを抽出して復調する。

・用途

有線伝送の例として、光ファイバを用いたPON方式の下り回線に用いられる。無線伝送ではマイクロ波通信回線に使用される例が多い。通信内容が音声通話であっても、デジタル化されているため秘匿化される利点がある。

7-3 ［フェージング］

▶▶▶ 演習問題・記述例 ◀◀◀

演習問題 電気通信工事に関する次の用語について、技術的な内容を具体的に記述しなさい。
技術的な内容とは、定義、特徴、動作原理、用途、施工上の留意点、対策等をいう。

・フェージング

ポイント▶ 無線通信におけるフェージングとは、時間に対して受信レベルが変動する現象のこと。原因別に、干渉性、偏波性、跳躍性、吸収性、選択性、K形、シンチレーション、拡散乱性、ダクト性と、実にさまざまなものが存在する。

〔記述例〕

・定義

無線通信において受信レベルが時間とともに強弱に変動する現象のことであり、さまざまな原因によって発生する。状況によっては通信が不能となるほど減衰する場合もある。

・特徴

近年では、携帯電話等が一般ユーザ向けに普及したことを背景として、送受信する端末の移動によってフェージングが生じるケースも目立ってきた。

・動作原理

一例として、干渉性フェージングは、電波が複数の経路を通ることに起因する。最短距離で到着した波と、遅れて到着した波との間に時間差が発生し、互いの位相にズレが生じる。これらが合成され、受信電波レベルを強め合ったり弱め合ったりするもの。

■電波が複数の経路を通る例

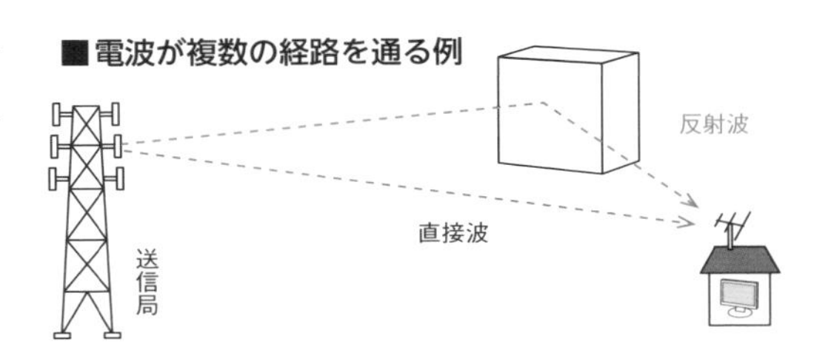

・対策

低減策としては、性質の異なる複数の通信手段を用意して、これらのうちの受信状態が良いものを選択、あるいは合成して利用するダイバーシティ法が一般的である。この中でも、複数の受信アンテナを用いる空間ダイバーシティは、比較的広く採用例がある。

7-4 ［ダイバーシティ］

▶▶▶ 演習問題・記述例 ◀◀◀

演習問題 電気通信工事に関する次の用語について、技術的な内容を具体的に記述しなさい。
技術的な内容とは、定義、特徴、動作原理、用途、施工上の留意点、対策等をいう。

・ダイバーシティ

ポイント▶ ダイバーシティ方式は、近年では特に空間（スペース）ダイバーシティが注目されている。この他にも周波数ダイバーシティやルートダイバーシティ、偏波ダイバーシティ、時間ダイバーシティ等、さまざまな手法が存在する。

〔記述例〕

・定義

無線通信において、回線断やフェージングといった通信不具合のリスクを低減させる手法の1つである。複数の伝送手段を構築して、これらを合成したり、良いほうのデータを採用したりするもの。

・特徴

単一の無線回線では、突発的な不具合で正常な伝送ができなかった場合に、情報が欠落する懸念がある。これを補うために複数の伝送手段を設けて、精度を高めることが可能となる。

・動作原理

一例として空間ダイバーシティは、物理的に離した複数の受信空中線を用意する。これらで受信した電波を合成したり、条件の良いほうを採用することで、情報の精度向上とリアルタイム性を確保する。

複数アンテナによる空間ダイバーシティの例

・用途

一例としてルートダイバーシティは、複数の伝送ルートを構築する。これにより降雨等のフェージングや、予期せぬ自然災害等が発生した場合でも、通信回線の安定化を図れる。

7-5 [ILS]

▶▶▶ 演習問題・記述例 ◀◀◀

演習問題

電気通信工事に関する次の用語について、技術的な内容を具体的に記述しなさい。
技術的な内容とは、定義、特徴、動作原理、用途、施工上の留意点、対策等をいう。

・ILS（Instrument Landing System）

ポイント▶ ILSは高度な技術による、航空交通制御システムである。下記の「定義」に記した内容は、電波法施行規則の条文にて定められているものであるから、特に着目しておきたい。

〔記述例〕

・**定義**

計器着陸方式の意であり、航空機に対してその着陸降下直前または降下中に、水平および垂直の誘導を与え、定点にて着陸基準点までの距離を示すことで、着陸のための理想的な進入経路を設定する無線航行方式のこと。

・**特徴**

構成機器であるローカライザは滑走路の終点方に配置され、グライドパスは滑走路の側方に建植される。マーカビーコンは滑走路の手前方に設けられるが、一般的には遠方から、アウタ、ミドル、インナーの３台が置かれる。

進入中の航空機とローカライザ

・**動作原理**

着陸態勢に入る航空機に対して、水平方向の誘導を行うローカライザと、垂直方向の誘導を行うグライドパス、距離の情報を発するマーカビーコン。これらの指向性の強い電波を受信することで、理想的な進入経路を把握でき、安定した着陸を支援する。

・**用途**

悪天候等により空港周辺の視界が悪い場合でも、システムの誘導によって滑走路への進入を可能にし、航空機が安定して着陸動作を行える。

7-6 [ETC]

▶▶▶ 演習問題・記述例 ◀◀◀

演習問題
電気通信工事に関する次の用語について、技術的な内容を具体的に記述しなさい。
技術的な内容とは、定義、特徴、動作原理、用途、施工上の留意点、対策等をいう。
・ETC (Electronic Toll Collection System)

ポイント▶ ETCは利用者にとっては、料金所での一時停止や現金の授受が不要になるメリットがある。道路交通の点でも、停車が不要になることによって、渋滞緩和につながる利点がある。これらを支える技術面について理解したい。

〔記述例〕

・定義

DSRCの技術を応用したもので、有料道路の料金所において、自動車等に搭載した車載器と無線通信を行い、車種や通行区間を判別して、自動的に通行料金を決済する。

・特徴

車載器を搭載した車両が料金所の路側機に接近すると、無線通信によって、カードIDや車載器情報、入口情報等が交換され、停車することなく自動的に通行料金が決済される。

・動作原理

4階層で通信を行う。物理層にて周波数選定プロセスと通信フレームを設定。データリンク層でデータ識別と再送処理。アプリケーション層で初期接続手順を設定。その後、ETCアプリケーションでの通信を開始する。

ETCの例

・施工上の留意点

隣接車線との誤通信を防ぐため、電波の指向性を鋭くして、サイドローブの電界強度を規定値以下に抑える。そのため、空中線の左右方向の角度調整には高い精度が要求される。

7-7 ［GPS］

演習問題・記述例

演習問題

電気通信工事に関する次の用語について、技術的な内容を具体的に記述しなさい。
技術的な内容とは、定義、特徴、動作原理、用途、施工上の留意点、対策等をいう。

・GPS（Global Positioning System）

ポイント GPSは米国が導入した、全世界的な位置測位システムである。24時間いつでも地球上のほぼ全域において、誰もが簡単に使用でき、高精度な位置と時刻の測定を行うことができる。

〔記述例〕

• **定義**

既知の点であるGPS衛星からの信号を捕捉して、位置と時刻を算出するもの。受信機が所在する三次元座標と時刻を正確に知るためには未知数が4つあるため、4個の衛星が見えていればよい。

• **特徴**

GPS衛星は約2万km上空の6つの軌道に各4個以上が配備され、約12時間周期で地球を周回する。地上管制は衛星の監視と制御を行い、軌道や時刻が許容値を超えないように保守を行う。

• **動作原理**

GPS衛星は1500MHz帯のL1波と1200MHz帯のL2波の、2種の周波数を発信する。各衛星ごとに異なる航法メッセージが50bpsの速度で送信され、受信者はこれらの情報から距離や時刻を測定する。

• **用途**

デジタル伝送を行う場合には、時間的な同期が必須となる。一例として、移動体無線の基地局にはGPS受信機が備えられ、基地局間で時刻の同期をとる。

GPS空中線の例

7-8 ［ワンセグ放送］

▶▶▶ 演習問題・記述例 ◀◀◀

演習問題 電気通信工事に関する次の用語について、技術的な内容を具体的に記述しなさい。
技術的な内容とは、定義、特徴、動作原理、用途、施工上の留意点、対策等をいう。
・ワンセグ放送

ポイント▶ ワンセグ放送は地上デジタル放送のサービスの1つで、移動体受信機でも安定して受信できるように設計されたもの。家庭向けの地上デジタル放送として送信している放送波の一部を使用している。

〔記述例〕

・定義

地上デジタル放送ではISDB-Tという規格に基づき、1チャネルの周波数帯域を13個のセグメントに分割し、このうちの1つのセグメントを、移動体向け放送に用いるもの。

・特徴

ワンセグ放送は全13セグメントのうちの、中央の第7セグメントしか使用できないため、1つのチャネルで複数の番組は送出できない。

・動作原理

免許された周波数帯域である約5.572MHzを13の区画に分割し、1区画の帯域幅を約429kHzとして確保する。ここにサブキャリアを432本配置してセグメントとし、この1つを移動体向け放送に用いる。

■ワンセグ放送の概念

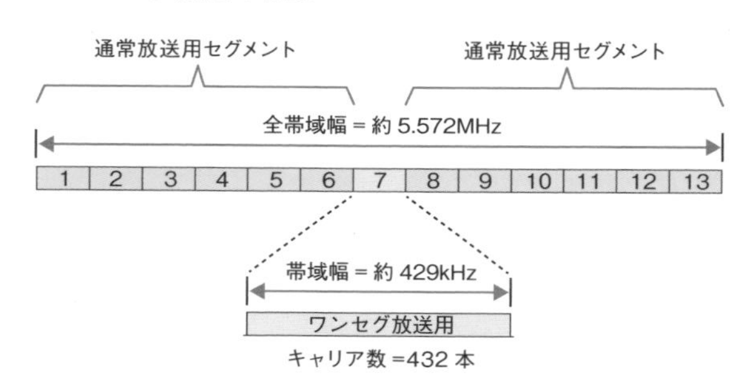

・対策

1セグメントを移動で使用した場合のビットレートは、約416kbpsしかない。そこで、映像を高い能率で圧縮符号化できる方式の、H.264を採用している。

7-9 ［八木アンテナ］

▶▶▶ 演習問題・記述例 ◀◀◀

演習問題

電気通信工事に関する次の用語について、技術的な内容を具体的に記述しなさい。
技術的な内容とは、定義、特徴、動作原理、用途、施工上の留意点、対策等をいう。

・八木アンテナ

ポイント▶ 無線通信を行う上で、中軸的な役割を果たす空中線。その中でも比較的ポピュラーな存在が、この八木アンテナである。技術的な特徴を把握しておきたい。

〔記述例〕

・定義

給電する輻射器を基軸として、給電しない導波器と反射器を前後に配置する構造である。導波器を有する方向に単一の指向性を持つ。

・特徴

比較的鋭い指向性を有しているため、主に固定局間の通信で用いられる。柔軟で汎用性が高く、調整がしやすい。

・特性

各素子を細くするほど利得は高くなるが、帯域幅が狭くなってしまう。逆に太くすると帯域幅は広くなるが、利得が低くなる。

八木アンテナの例

・用途

主にHF帯からUHF帯で用いられ、特に地上テレビジョン放送の受信アンテナとして各家庭に広く普及している。

・施工上の留意点

対向する無線局と偏波面を揃えるとともに、指向方向を正しく調整しなければならない。

7-10 ［無給電中継方式］

▶▶▶ 演習問題・記述例 ◀◀◀

演習問題

電気通信工事に関する次の用語について、技術的な内容を具体的に記述しなさい。
技術的な内容とは、定義、特徴、動作原理、用途、施工上の留意点、対策等をいう。

・無給電中継方式

ポイント▶ 無線伝送において、送受信局間が遠距離であったり、伝播ルートの角度を変更したい場合には、一般には中継局を配置することで対処を行う。

〔記述例〕

・**定義**

無線の伝送路上に障害物がある場合、迂回する形で中継局を置くが、その中継局で増幅を行わない方式のこと。

・**特徴**

受信局にて充分な信号強度が確保できる場合には、増幅の設備を省けるため、中継に電源を必要としない。

・**動作原理**

2つの空中線を、直接給電線で背中合わせに接続したり、大きな金属板を鏡として配置する等の手法がある。

・**用途**

主に電波の直進性が強いUHF帯以上の周波数帯で用いられ、特に地上マイクロ波通信で採用例が多い。

・**施工上の留意点**

電波の指向方向を正しく調整するとともに、風の影響を受けるため、これに耐える構造としなければならない。

無給電中継局の例

1章 2章 3章 4章 5章 6章 7章 8章 索引

7-11 ［UTP］

▶▶▶ 演習問題・記述例 ◀◀◀

演習問題

電気通信工事に関する次の用語について、技術的な内容を具体的に記述しなさい。
技術的な内容とは、定義、特徴、動作原理、用途、施工上の留意点、対策等をいう。

・UTP（Unshielded Twisted Pair）

ポイント▶ UTPケーブルは、屋内の有線LANに用いられる最も標準的な配線材料である。これにはカテゴリやクラス等の仕様が存在し、配線にあたっては、これらによる施工上の制約が存在する。

〔記述例〕

・定義

ツイストペアは、２本の芯線を撚(よ)り合わせたもので、撚(よ)り対線とも呼ばれる。平行線よりも内部雑音を抑制できる特徴がある。一般的には撚り対線を４組集め、合計８芯の構成としている。

・特徴

モジュラコネクタの取り付けにおいて、ツイストの撚り戻し長には規定がある。カテゴリ5eでは12.7mm、カテゴリ６では6.4mm以内とする。

UTPケーブルとモジュラコネクタの例

・施工上の留意点

施工中および竣工後におけるケーブルの曲げ半径は、規定値を下回らないようにする。延線作業の際は、ケーブルに過度な張力が加わらないよう留意する。

・対策

シールド処理が施されてないため、外部からの電磁誘導に弱い。そのため強電流電線が近接する場合は、離隔する等の対策が必要である。

7-12 [OLT]

▶▶▶ 演習問題・記述例 ◀◀◀

演習問題

電気通信工事に関する次の用語について、技術的な内容を具体的に記述しなさい。
技術的な内容とは、定義、特徴、動作原理、用途、施工上の留意点、対策等をいう。
・OLT（Optical Line Terminal）

ポイント▶ OLTは、有線電気通信の中でもPON方式等に代表される光ファイバによる伝送システムを実現する上で、最も中軸となるノードである。

〔記述例〕

・定義

光ファイバを用いたPON 方式等の加入者回線網において、通信事業者の設備センタ方に設置される光回線の終端装置である。

・特徴

光通信回線を構築するにあたり、各加入者宅に設置される、ONU と呼ばれる加入者線端局装置と対になる装置にあたる。

■OLTの位置付け

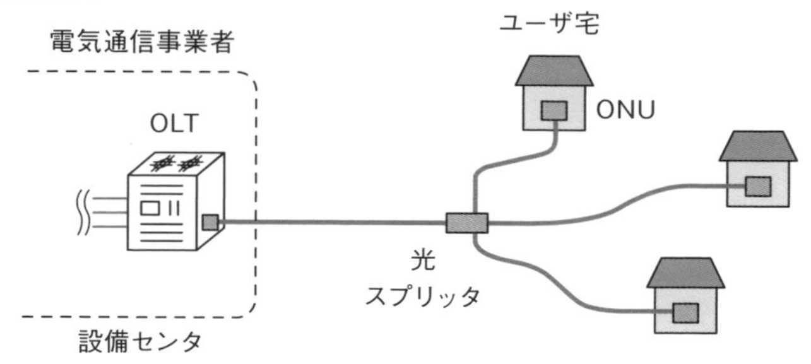

・動作原理

複数ユーザからの各信号が1本の光回線を共用するため、多重化処理を行う。WDM 方式では異なる波長によって多重化を行い、TDM 方式では時間軸方向にマスを区切って多重化を行う。

・用途

下り方向では、各加入者向けの信号を合成して光回線に送出する。上り方向は、回線からの合成された信号群を分離して、上位ネットワーク側の回線や機器に取り次ぐ。

7-13 ［DHCP］

演習問題・記述例

演習問題
電気通信工事に関する次の用語について、技術的な内容を具体的に記述しなさい。
技術的な内容とは、定義、特徴、動作原理、用途、施工上の留意点、対策等をいう。

・DHCP（Dynamic Host Configuration Protocol）

ポイント DHCPは、ネットワークへの接続に必要なIPアドレス等の情報を自動的に割り当てるプロトコルである。これにより、技術的に深い知識がないユーザでも、PC等を接続するだけで簡単にネットワークに参加することができる。

〔記述例〕

・定義

コンピュータやIP電話等のホストをネットワークに接続する際に、IPアドレス等を自動的に設定するためのアプリケーション層プロトコルである。割り当てる側をDHCPサーバ、要求側をDHCPクライアントと呼ぶ。

■DHCPの概念

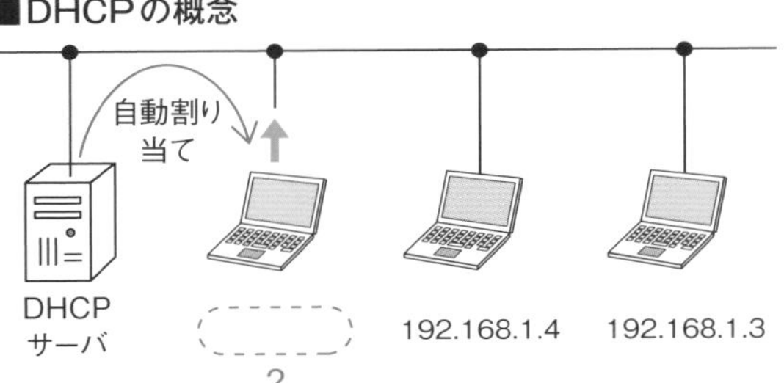

・特徴

事業用ネットワークでは、一般的にサーバが他のネットワーク管理機能とともにDHCPサーバとして稼動している。家庭用の接続環境では、ブロードバンドルータがDHCP機能を内蔵している場合が多い。

・動作原理

DHCPサーバ宛に要求を送る際のポート番号は主に67を使用し、逆にクライアント宛に送る場合は68を用いる。クライアントに付与するIPアドレス情報は、DHCPメッセージ部分に配置される。

・用途

設定を手動で行わなくても適切に接続できるため、管理者の負担軽減が大きな利点である。接続していたホストが通信を切断すると、新たに接続した他のホストに、自動的に再割り当てが可能である。

7-14 ［L2スイッチ］

▶▶▶ 演習問題・記述例 ◀◀◀

演習問題

電気通信工事に関する次の用語について、技術的な内容を具体的に記述しなさい。
技術的な内容とは、定義、特徴、動作原理、用途、施工上の留意点、対策等をいう。

・L2スイッチ

ポイント▶ L2の「L」とは「レイヤ」の意である。そして「L2」とはOSI参照モデルにおける下から第2層目、すなわちデータリンク層を表している。L2スイッチはスイッチングハブとも呼ばれ、また単にスイッチと呼ばれることもある。

〔記述例〕

• 定義

データリンク層であるレイヤ2に位置し、同じネットワーク内にある全ての機器やデバイスに接続している。これらが持つ固有のMACアドレスを参照して、1対1の通信を行う。

• 特徴

接続されている機器をポートごとに把握しており、通信を行う機器同士だけが効率よくデータを運ぶことが可能となる。入ってきたデータを、単純に全ポートへ送出するハブとは異なる。

• 動作原理

ポートの先に、どのMACアドレスを持つ機器が接続されているかの対応表を持っており、必要なポートにだけデータを送出することで、無駄な処理を省くことができる。

スイッチの例

• 用途

接続された機器やデバイスのMACアドレスを記憶し、ネットワーク内においてMACフレームを送受信するデータ通信に用いられる。

7-15 ［QAM］

演習問題・記述例

演習問題

電気通信工事に関する次の用語について、技術的な内容を具体的に記述しなさい。
技術的な内容とは、定義、特徴、動作原理、用途、施工上の留意点、対策等をいう。

・QAM（Quadrature Amplitude Modulation）

ポイント アナログ信号を変調するアナログQAMも存在するが、単にQAMといった場合にはデジタルデータの変調を意味することが多い。他の変調方式と比べると効率よくデータの伝送ができるが、その分ノイズに弱い欠点がある。

〔記述例〕

・定義

信号の変調方式の１つで、直角位相振幅変調ともいう。位相が直交する２つの正弦波にそれぞれ振幅変調を施し、これを合成した上で伝送する。

・特徴

１つの搬送波に４段階の振幅変調を行なって一度に１６値を送れる１６QAM。８段階の振幅変調で６４値を送れる６４QAM。１６段階の振幅変調で２５６値を送れる２５６QAM 等がある。

・動作原理

一例として１６QAMは、位相が直交する２つの波をそれぞれ４段階の振幅に変化させて合成する。それにより４×４の１６値のシンボルとなり、一度に４ビットの情報を伝送する。

■１６QAMの概念図

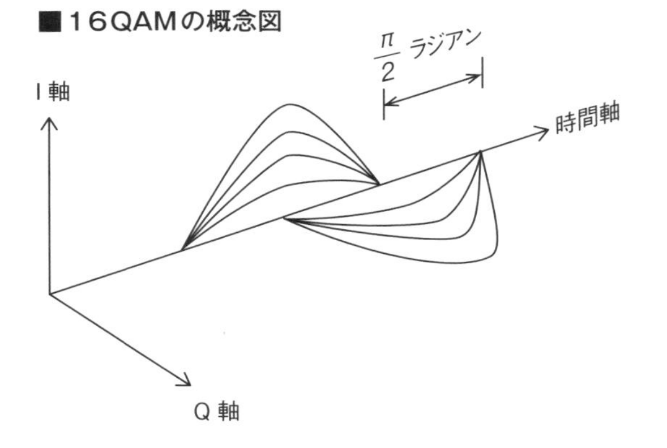

・用途

衛星通信や地上マイクロ波通信、デジタルテレビ放送、移動体通信、WiMAX、無線LAN 等の無線通信にて広く普及している。

7-16 ［共通鍵暗号方式］

▶▶▶ 演習問題・記述例 ◀◀◀

演習問題

電気通信工事に関する次の用語について、技術的な内容を具体的に記述しなさい。
技術的な内容とは、定義、特徴、動作原理、用途、施工上の留意点、対策等をいう。

・共通鍵暗号方式

ポイント▶ 誰でもアクセス可能なネットワーク上でデータを伝送する場合、第三者にデータを閲覧されたり、改ざんされないように、データを暗号化して送信することが求められる。これは、暗号化アルゴリズムと鍵によって実現できる。

〔記述例〕

- **定義**

データの暗号化と復号に同じ鍵を使用する方式。通信相手ごとに共通鍵を生成する必要があり、また鍵の交換時に漏えいしないよう、慎重に行う必要がある。

- **特徴**

2者間でのみ通信する場合は、1つの鍵があれば足りる。しかし通信接続先が増えると、管理すべき鍵の数が増加する。n人の間で必要な鍵の個数は、n(n−1)/2となる。

- **動作原理**

用いるアルゴリズムにはRC4、DES、3DES、AES等がある。今日の主流な方式はAESであり、無線LANのWPA2でも採用されている。

- **用途**

暗号化および復号を行う際の計算負荷が軽いという長所があるため、大量のデータを高速で処理する通信に向いている。

- **対策**

データ本体の暗号化には共通鍵を使用し、この共通鍵を公開鍵暗号方式で暗号化を行う。これをハイブリッド方式と呼び、安全な鍵の交換と、高速処理とを両立できる。

7-17 [SIP]

演習問題・記述例

演習問題
電気通信工事に関する次の用語について、技術的な内容を具体的に記述しなさい。
技術的な内容とは、定義、特徴、動作原理、用途、施工上の留意点、対策等をいう。
・SIP（Session Initiation Protocol）

ポイント
SIPはIPネットワークを用いて、相手との通信経路（セッション）を確立するための通信プロトコルのこと。インターネット技術の標準化を行うIETFによって標準化されている。コストの削減や拡張性等のメリットがある。

〔記述例〕

- **定義**

アプリケーション層で2つ以上の相手に対して音声や映像等の交換を行うために必要なセッションの生成、変更、切断のみを行うプロトコル。セッション上で交換されるデータそのものについては関与しない。

- **特徴**

SIPクライアントとSIPサーバから構成される。メッセージはテキストで記述され、シンプルで拡張性が高く、インターネットと親和性が高い。実装も容易である。

- **動作原理**

SIPサーバには3つの機能がある。送信されたデータを別のサーバに転送するプロキシサーバ。通信を切らずに他のサーバにメッセージを届けるリダイレクトサーバ。受信データの情報を基にロケーション登録する登録サーバである。

■SIPの概要

- **用途**

リアルタイム通信のためのプロトコルとして注目され、IP電話、テレビ電話、ビデオチャット、テレビ会議、インスタントメッセンジャ等、リアルタイム性が要求されるアプリケーションで採用されている。

7-18 ［パケット交換方式］

▶▶▶ 演習問題・記述例 ◀◀◀

演習問題 電気通信工事に関する次の用語について、技術的な内容を具体的に記述しなさい。
技術的な内容とは、定義、特徴、動作原理、用途、施工上の留意点、対策等をいう。

・パケット交換方式

ポイント▶ ユーザが1対1で回線を占有する方式を回線交換方式と呼ぶのに対して、不特定多数が回線を共有する際の伝送方法の1つがパケット交換方式である。

〔記述例〕

- **定義**

通信データを決まった長さに区切ってパケットとして小分けにし、そのパケットごとに宛先や誤り訂正情報等を付加して、相手に送信する方式。

- **特徴**

同じ宛先でも、パケットごとに異なる経路を通る場合がある。各パケットはヘッダ情報を持ち、到着順序が前後しても、受信方で正しい順序に復元できる。

- **動作原理**

通信に用いるプロトコルはTCPであり、送信方と受信方とで端末装置の通信速度が異なっていても、通信が可能である。

- **特性**

情報が流れていないときは通信回線を占有しないため、回線の利用効率が高い。

- **対策**

途中の通信回線の混雑により、伝送遅延が生じることがある。改善策として、回線の帯域幅を広げる等が有効である。

法令理解

法令理解の学習にあたって

出題の形式（1級）

「建設業法施行規則」に定められている施工体制台帳に記載すべき事項に関する次の記述において，［　　］に**当てはまる語句**を答えなさい。

「施工体制台帳に係る下請負人に関する記載事項は，商号又は名称及び住所，請け負った建設工事に係る許可を受けた［ア］の種類，［イ］等の加入状況，請け負った建設工事の名称，内容及び工期等であり，現場ごとに備え置かなければならない。」

1級は、主に建設業法令や労働安全衛生法令、電波法令等からの出題が見られます。これらの他、電気通信工事に関係する周辺の法令にも目を向けておきましょう。

出題の形は、上記のサンプルのように穴埋め形式となります。しかし、1級には選択肢の語群がありません。そのため、該当の語句をしっかりと理解し、そして正確に漢字で書けなければなりません。

万が一、語句はわかるが漢字が出てこない場合は、ひらがなではなくカタカナで記述しておきましょう。

2次検定の最後の課題は、「法令理解」である。現場での稼働が中心となる技術者の場合は、法令の条文に触れる機会が限られがちである。そのため、日頃からの視点を変えた学習法が必要になってくる。

法令理解の問題は、1級も2級もどちらも出題される。しかしこれら両級種では出題の形が異なるため、注意が必要となる。合格者の基準が、1級は「高度の応用能力を有する」で、2級は「一応の応用能力を有する」と設定されていた。これが最も顕著に表れる分野が、この法令理解のパートといえる。

1級の設問も2級の設問も、下記のように条文本体の穴埋め形式で出題されると推定される。このうち2級は該当の語句を選択肢の語群から選ぶ形式であるのに対し、1級は選択肢がない。つまり、1級では該当の語句をしっかりと把握した上で、かつ漢字で正確に記述する必要がある。

これは1級受験者にとって、高いハードルといえる。時間をしっかり作って、手遅れにならないように早目の着手が望まれる。2級受験者は、該当の語句を入れた上で何度も読み込んでいくうちに、自然と頭に吸収できるであろう。

●出題の形式（2級）

2級では、建設業法令や労働基準法、端末設備等規則等を中心に出題されています。これらを含め、周辺の法令も俯瞰しておくとよいでしょう。

出題の形式は、1級と同様に穴埋め方式です。しかし、こちらは1級と違って選択肢として語群が提示されます。ここは大きな差になります。選択肢が存在するだけで、ハードルがかなり下がる印象です。

具体的な内容は、次ページ以降に掲示したサンプル問題を参照してください。

「端末設備等規則」に定められている接地抵抗に関する次の記述において，［　　］に**当てはまる数値**を選択欄から選びなさい。

「端末設備の機器の金属製の台及び筐体は，接地抵抗が［　オ　］Ω以下となるように接地しなければならない。ただし，安全な場所に危険のないように設置する場合にあっては，この限りでない。

選択欄

10	30	100	150

●出題傾向の分析●

過去５年間に実施された設問を整理します。１級２級ともに３問の出題があります。

２次検定での出題数累計

法令系統	1級	2級
建設業法 建設業法施行規則	5	5
労働安全衛生法 労働安全衛生規則	4	2
労働基準法	1	3
電波法 電波法施行規則	3	2
端末設備等規則	1	2
有線電気通信設備令	1	1

建設業法令は、両級ともに毎年必ず出題されています。ここは要注意です。

さて、学習にあたり大きなヒントがあります。両級の各年次とも、少なくとも１問は、１次検定の設問から引用されている事実が見えてきました。

特に１問目に置かれている「建設業法令」は、過去の１次検定で出題された項目が、高い確率で再登場している状況が確認できます。

ただし下表のように、１級と２級のどちらからも引用がある点に注意してください。

◆ １級の出題傾向

出題実績と１次検定からの引用状況

検定期	法令名	項目	１級の１次検定問題	２級の１次検定問題
令和１年	建設業法施行規則 労働基準法 電波法施行規則	施工体制台帳 労働時間 空中線等の保安施設	－ － －	－ 令和１年（前期）No.36 －
令和２年	建設業法 労働安全衛生規則 電波法	建設工事の見積 照度の保持 電波の質	令和１年（午前）No.45 － －	令和１年（後期）No.33 － －
令和３年	建設業法 労働安全衛生法 端末設備等規則	建設工事の請負契約 総括安全衛生管理者 絶縁抵抗等	－ 令和１年（午前）No.51 －	－ － －
令和４年	建設業法 労働安全衛生法 有線電気通信設備令	元請負人の義務 講ずべき措置 屋内電線	令和３年（午前）No.47 － －	－ － －
令和５年	建設業法 労働安全衛生法 電波法施行規則	建設工事の請負契約 就業にあたっての措置 空中線等の保安施設	－ － －	－ 令和３年（前期）No.61 －

令和６年	？

１問目の建設業法令、および２問目の労働基準法と労働安全衛生法令は、過去の１次検定で出題されたテーマの再掲が見られます。

対策として、前年（令和５年）の１級と２級の１次検定３回分を中心に復習しておくとよいでしょう。

◆２級の出題傾向

出題実績と１次検定からの引用状況

検定期	法令名	項目	1級の１次検定問題	2級の１次検定問題
令和１年	建設業法 労働安全衛生規則 端末設備等規則	契約書面 安全衛生責任者の職務 接地抵抗	– – –	– 令和１年（前期）No.39 –
令和２年	建設業法 労働基準法 電波法	検査および引渡し 未成年者の労働契約 免許の申請	令和１年（午前）No.46 – –	令和１年（後期）No.33 – –
令和３年	建設業法 労働基準法 電波法	元請負人の義務 労働条件の明示 秘密の保護	– – –	令和１年（後期）No.34 – –
令和４年	建設業法 労働基準法 有線電気通信設備令	請負契約の原則 徒弟の弊害排除 設備の保安	令和３年（午前）No.45 – –	令和３年（前期）No.34 – –
令和５年	建設業法 労働安全衛生法 端末設備等規則	請負契約とみなす場合 講ずべき措置 接地抵抗	– – –	令和４年（後期）No.34 – –

⬇

令和6年	?

２級も似た傾向が見られます。１問目の建設業法と２問目の労働安全衛生法令は、過去の１次検定で出題されたテーマの再掲が見られます。

特に、１問目の建設業法は、過去５回中、何と４回も再掲されました。対策としては１級と同様に、前年（令和５年）の１級と２級の１次検定３回分を中心に復習しましょう。

１級１次検定編を併用して学習を行う場合には、５章を復習しておきましょう。特に P232 ～ P257 を集中的に！

２級１次検定編を併用して学習を行う場合には、４章を復習しておきましょう。特に P150 ～ P179 を集中的に！

8-1 ▶建設業法令① [標識の記載事項]

演習問題 「建設業法令」に定められている、標識の記載事項に関する次の記述において、□に当てはまる語句を答えなさい。

建設業者が掲げる標識の記載事項は、店舗にあっては第1号から第4号までに掲げる事項、建設工事の現場にあっては第1号から第5号までに掲げる事項とする。

1 一般建設業または特定建設業の別
2 許可年月日、許可［ア］および許可を受けた［イ］
3 ［ウ］または名称
4 ［エ］の氏名
5 主任技術者または監理技術者の氏名

（建設業法施行規則 第25条）

1級対策は、以下の語句群を見ずに解答できるようにしたい。2級は、語句群から選択せよ。

・商号 ・略称 ・番号 ・代表者 ・経営者 ・建設業 ・地域 ・種別

ポイント▶ 建設業の許可を受けた建設業者は、標識を掲示する義務がある。これは通称「許可票」と呼ばれているもので、全5項目の記載事項がある。

▶▶▶ 解答・解説 ◀◀◀

ア：番号　イ：建設業　ウ：商号　エ：代表者

標識は、店舗用と現場用とがあります。店舗に掲げる標識は、主任技術者と監理技術者の氏名が不要になります。

根拠法令等

建設業法施行規則

（定義）

第25条 法第40条の規定により建設業者が掲げる標識の記載事項は、店舗にあっては第1号から第4号までに掲げる事項、建設工事の現場にあっては第1号から第5号までに掲げる事項とする。

1 一般建設業または特定建設業の別
2 許可年月日、許可番号および許可を受けた建設業
3 商号または名称
4 代表者の氏名
5 主任技術者または監理技術者の氏名

建設業法令② ［建設業の定義］

演習問題 「建設業法」に定められている、建設業に関する次の記述において、□に当てはまる語句を答えなさい。

・この法律において「建設業」とは、ア 、イ その他いかなる名義をもってするかを問わず、建設工事の ウ を請け負う営業をいう

・この法律において「下請契約」とは、建設工事を他の者から請け負った建設業を営む者と他の建設業を営む者との間で当該建設工事の全部または一部について締結される請負契約をいう

・この法律において「発注者」とは、建設工事（他の者から請け負ったものを除く）の注文者をいい、「元請負人」とは、下請契約における注文者で エ であるものをいい、「下請負人」とは、下請契約における請負人をいう

（建設業法　第2条）

1級対策は、以下の語句群を見ずに解答できるようにしたい。2級は、語句群から選択せよ。

・発注者　・下請　・建設業者　・施工　・設計者　・元請　・完成　・監督官

ポイント▶ 建設業あるいは建設業者等、建設工事に携わる者は建設業法によって細かい定めがある。本問はこの建設業の定義に関する設問である。

▶▶▶ 解答・解説 ◀◀◀

ア：元請　イ：下請　ウ：完成　エ：建設業者

ア（元請）とイ（下請）は逆であっても、意味の上では間違いではありません。ただ、施工管理技士になる人物としては、きちんとこの順番で覚えておいたほうが好ましいです。

根拠法令等

建設業法
（定義）
第2条　この法律において「建設工事」とは、土木建築に関する工事で別表第1の上欄に掲げるものをいう。
2　この法律において「建設業」とは、元請、下請その他いかなる名義をもつてするかを問わず、建設工事の完成を請け負う営業をいう。
3　この法律において「建設業者」とは、第3条第1項の許可を受けて建設業を営む者をいう。
4　この法律において「下請契約」とは、建設工事を他の者から請け負った建設業を営む者と他の建設業を営む者との間で当該建設工事の全部または一部について締結される請負契約をいう。
5　この法律において「発注者」とは、建設工事（他の者から請け負ったものを除く。）の注文者をいい、「元請負人」とは、下請契約における注文者で建設業者であるものをいい、「下請負人」とは、下請契約における請負人をいう。

8-1 建設業法令③［完成の確認］

演習問題 「建設業法」に基づく完成の確認に関する次の記述において、［　］に当てはまる語句を答えなさい。

元請負人は、下請負人からその請け負った建設工事が完成した旨の［ア］を受けたときは、当該［ア］を受けた日から［イ］日以内で、かつ、できる限り短い期間内に、その完成を確認するための［ウ］を完了しなければならない。（建設業法　第24条の4）

1級対策は、以下の語句群を見ずに解答できるようにしたい。2級は、語句群から選択せよ。

・連絡　・検査　・通知　・14　・20　・試験

ポイント▶ この条文は下請負人を保護するために、元請負人に課せられた義務の1つである。これらの義務は建設業法によって定めがなされており、本問は完成の確認に関する設問である。

▶▶▶ 解答・解説 ◀◀◀

ア：通知　イ：20　ウ：検査

下請負人が担当する範囲の工事を完成したにもかかわらず、元請負人がいつまでもその検査を行わないと、下請負人への支払いが滞ってしまうことになります。これは下請負人にとっては死活問題にもなりかねませんので、適正な検査を行うよう、建設業法にて規制されています。

根拠法令等

建設業法

（検査及び引渡し）

第24条の4　元請負人は、下請負人からその請け負った建設工事が完成した旨の通知を受けたときは、当該通知を受けた日から20日以内で、かつ、できる限り短い期間内に、その完成を確認するための検査を完了しなければならない。

2　元請負人は、前項の検査によって建設工事の完成を確認した後、下請負人が申し出たときは、直ちに、当該建設工事の目的物の引渡しを受けなければならない。ただし、下請契約において定められた工事完成の時期から20日を経過した日以前の一定の日に引渡しを受ける旨の特約がされている場合には、この限りでない。

建設業法令④［監理技術者資格者証］

演習問題　「建設業法」に定められている、監理技術者の資格者証に関する次の記述において、[　]に当てはまる語句を答えなさい。

- 申請者が[ア]以上の監理技術者資格を有する者であるときは、これらの監理技術者資格を[イ]記載した資格者証を交付するものとする
- 資格者証の有効期間は、[ウ]年とする
- 資格者証の有効期間は、[エ]更新する

（建設業法　第27条の18）

1級対策は、以下の語句群を見ずに解答できるようにしたい。2級は、語句群から選択せよ。

・2　・3　・4　・5　・自動的に　・申請により　・合わせて　・個別に

ポイント▶ 監理技術者の資格者証は永続的なものではなく、有効期間がある。期間満了後も資格者としての地位を希望する場合には、これを更新しなければならない。これらに関係する諸規程を確認したい。

解答・解説

ア：2　イ：合わせて　ウ：5　エ：申請により

1級の2次検定に合格すれば、監理技術者資格者証を申請することが可能となります。この資格者証が手元に届いて、はじめて資格者を名乗ることができます。

根拠法令等

建設業法
（監理技術者資格者証の交付）
第27条の18　国土交通大臣は、監理技術者資格を有する者の申請により、その申請者に対して、監理技術者資格者証を交付する。
2　資格者証には、交付を受ける者の氏名、交付の年月日、交付を受ける者が有する監理技術者資格、建設業の種類その他の国土交通省令で定める事項を記載するものとする。
3　第1項の場合において、申請者が2以上の監理技術者資格を有する者であるときは、これらの監理技術者資格を合わせて記載した資格者証を交付するものとする。
4　資格者証の有効期間は、5年とする。
5　資格者証の有効期間は、申請により更新する。
6　第4項の規定は、更新後の資格者証の有効期間について準用する。

1章 2章 3章 4章 5章 6章 7章 8章 索引

8-1 建設業法令⑤［建設業の許可1］

演習問題 「建設業法」に定められている、建設業の許可に関する次の記述において、□に当てはまる語句を答えなさい。

建設業を営もうとする者は、次に掲げる区分により、二以上の都道府県の区域内に営業所を設けて営業をしようとする場合にあっては［ア］大臣の、一の都道府県の区域内にのみ営業所を設けて営業をしようとする場合にあっては当該営業所の所在地を管轄する［イ］の許可を受けなければならない。

一　建設業を営もうとする者であって、次号に掲げる者以外のもの
二　建設業を営もうとする者であって、その営業にあたって、その者が発注者から直接請け負う1件の建設工事につき、その工事の全部または一部を、［ウ］が政令で定める金額以上となる下請契約を締結して施工しようとするもの　（建設業法　第3条）

1級対策は、以下の語句群を見ずに解答できるようにしたい。2級は、語句群から選択せよ。

・国土交通 ・総務 ・都道府県知事 ・警察署長 ・受注額 ・下請代金の額 ・下請契約 ・再発注

ポイント▶ 建設業の許可には2つの軸があり、計4つの区分がなされている。とても重要な部分であるから、不安な場合は1次検定編を復習しておきたい。

▶▶▶ 解答・解説 ◀◀◀

ア：国土交通　イ：都道府県知事　ウ：下請代金の額

問題文中の二号は、特定建設業を表しています。一号はそれ以外なので、こちらは一般建設業が該当します。

根拠法令等

建設業法
第3条 （建設業の許可）
建設業を営もうとする者は、次に掲げる区分により、この章で定めるところにより、二以上の都道府県の区域内に営業所を設けて営業をしようとする場合にあっては国土交通大臣の、一の都道府県の区域内にのみ営業所を設けて営業をしようとする場合にあっては当該営業所の所在地を管轄する都道府県知事の許可を受けなければならない。
ただし、政令で定める軽微な建設工事のみを請け負うことを営業とする者は、この限りでない。

一　建設業を営もうとする者であって、次号に掲げる者以外のもの
二　建設業を営もうとする者であって、その営業にあたって、その者が発注者から直接請け負う1件の建設工事につき、その工事の全部または一部を、下請代金の額が政令で定める金額以上となる下請契約を締結して施工しようとするもの 〔以下略〕

▶建設業法令⑥ [建設業の許可2]

演習問題 「建設業法」に定められている、建設業の許可に関する次の記述において、□に当てはまる語句を答えなさい。

・建設業の許可は、[ア]ごとにその[イ]を受けなければ、その期間の経過によって、その効力を失う
・建設業者は、許可を受けた建設業に係る建設工事を請け負う場合においては、当該建設工事に[ウ]する他の[エ]に係る建設工事を請け負うことができる

（建設業法　第3条、第4条）

1級対策は、以下の語句群を見ずに解答できるようにしたい。2級は、語句群から選択せよ。

・3年　・5年　・関係　・再許可　・更新　・受注者　・附帯　・建設業

ポイント▶ 建設業の許可は永続的なものではなく、期限がある。期限後も建設業者としての営業を希望する場合には、これを延伸する手続きが必要となる。これら建設業許可に関係する諸規程を、再確認しておきたい。

▶▶▶ 解答・解説 ◀◀◀

ア：5年　イ：更新　ウ：附帯　エ：建設業

文中の「当該建設工事に附帯する他の建設業に係る建設工事」とは、例えばビルの建設を請け負った場合に、そこに含まれると解釈できる、電気や水道等の個別工事のことを指します。

根拠法令等

建設業法
（建設業の許可）
第3条
〔中略〕
3　第1項の許可は、5年ごとにその更新を受けなければ、その期間の経過によって、その効力を失う。

（附帯工事）
第4条　建設業者は、許可を受けた建設業に係る建設工事を請け負う場合においては、当該建設工事に附帯する他の建設業に係る建設工事を請け負うことができる。

8-1 建設業法令⑦［請負契約］

演習問題 「建設業法」に定められている、請負契約に関する次の記述において、[　]に当てはまる語句を答えなさい。

・建設業者は、建設工事の[ア]から請求があったときは、請負契約が成立するまでの間に、建設工事の[イ]を交付しなければならない

・建設工事の請負契約において請負代金の全部または一部の前金払をする定がなされたときは、注文者は、建設業者に対して前金払をする前に、[ウ]を立てることを[エ]することができる

（建設業法　第20条、第21条）

1級対策は、以下の語句群を見ずに解答できるようにしたい。2級は、語句群から選択せよ。

・注文者　・見積書　・保証人　・請求　・発注者　・許可証　・代理人　・要求

ポイント▶ 建設工事を受発注する際の、当事者間における諸ルールの一部である。特に金銭に関わる部分は、トラブルの火種にもなりかねない。そのため、当事者の双方に正確な取り扱いが求められる。

▶▶▶ 解答・解説 ◀◀◀

ア：注文者　イ：見積書　ウ：保証人　エ：請求

選択肢には、紛らわしい単語が多く登場します。正しい文言を入れて、声に出して繰り返し読み上げると、覚えやすくなるでしょう。1級対策では、漢字で書けるようにしておきましょう。

根拠法令等

建設業法

（建設工事の見積り等）

第20条

〔中略〕

2　建設業者は、建設工事の注文者から請求があったときは、請負契約が成立するまでの間に、建設工事の見積書を交付しなければならない。

（契約の保証）

第21条

建設工事の請負契約において請負代金の全部または一部の前金払をする定がなされたときは、注文者は、建設業者に対して前金払をする前に、保証人を立てることを請求することができる。

〔以下略〕

建設業法令⑧［技術者の職務］

演習問題 「建設業法」に定められている、技術者の職務に関する次の記述において、□に当てはまる語句を答えなさい。

主任技術者および監理技術者は、工事現場における建設工事を適正に実施するため、当該建設工事の［ア］計画の作成、［イ］管理、［ウ］管理、その他の［エ］上の管理、および当該建設工事の施工に従事する者の［エ］上の指導監督の職務を、誠実に行わなければならない。

（建設業法　第26条の4）

1級対策は、以下の語句群を見ずに解答できるようにしたい。2級は、語句群から選択せよ。

・安全　・品質　・工程　・原価　・施工　・技能　・技術　・勤務

ポイント▶ この条文においては、監理技術者と主任技術者とでは、職務の内容は同じとされている。自身の普段の実務にも直接的に深く関係する事柄でもあるため、しっかり把握しておきたい。

▶▶▶ 解答・解説 ◀◀◀

ア：施工　イ：工程　ウ：品質　エ：技術

イの「工程」と、ウの「品質」は、順序が逆でも意味は通じます。しかし検定対策としては条文と同様に、上に示した順序で覚えておきましょう。

根拠法令等

建設業法
（主任技術者及び監理技術者の職務等）
第26条の4
主任技術者および監理技術者は、工事現場における建設工事を適正に実施するため、当該建設工事の施工計画の作成、工程管理、品質管理、その他の技術上の管理、および当該建設工事の施工に従事する者の技術上の指導監督の職務を、誠実に行わなければならない。

8-2 ▶労働安全衛生法令① ［明るさの確保］

演習問題 「労働安全衛生規則」に定められている、以下の法文において、□に当てはまる語句を答えなさい。

事業者は、高さが［ア］以上の箇所で作業を行なうときは、当該作業を安全に行なうため必要な［イ］を［ウ］しなければならない。 （労働安全衛生規則　第523条）

1級対策は、以下の語句群を見ずに解答できるようにしたい。2級は、語句群から選択せよ。

・2m　・3m　・4m　・照明器具　・照度　・保持　・確保

ポイント▶ 事業者は、職場における従業者の安全と健康を確保する義務を負っている。これは工事現場のみに限った話ではない。作業を行うための環境の整備は、部下を持つ者としての大切な配慮事項といえる。

▶▶▶ 解答・解説 ◀◀◀

ア：2m　イ：照度　ウ：保持

明るさが不充分な環境では、作業を安全に進めることが難しくなります。さらには、品質の確保にも影響を及ぼす可能性が出てきます。

特に高所作業の場合は作業者が転落したり、資材を落下させるリスクが高まります。そのため監督者は、作業場において必要な照度を保持する責務があります。

なお2m未満の高さであれば、この規定は対象外となります。

根拠法令等

労働安全衛生規則
（照度の保持）
第523条
　事業者は、高さが2m以上の箇所で作業を行なうときは、当該作業を安全に行なうため必要な照度を保持しなければならない。

照明設備の例

労働安全衛生法令② ［安全衛生責任者の職務］

演習問題 「労働安全衛生規則」に定められている、安全衛生責任者の職務に関する次の記述において、□に当てはまる語句を答えなさい。

・統括安全衛生責任者との ア
・統括安全衛生責任者から ア を受けた事項の関係者への ア
・前号の統括安全衛生責任者からの ア に係る事項のうち当該 イ に係るものの実施についての管理
・当該 イ がその仕事の一部を他の イ に請け負わせている場合における、当該他の イ の安全衛生責任者との作業間の ア および ウ （労働安全衛生規則 第19条）

1級対策は、以下の語句群を見ずに解答できるようにしたい。2級は、語句群から選択せよ。

・相談 ・連絡 ・協議 ・通知 ・調整 ・請負人 ・発注者 ・受注者

ポイント▶ 工事現場に配置すべき管理者や責任者は多くの種類があり、とても紛らわしい。この中で、命題の「安全衛生責任者」とは、どういったポジションなのか。これを理解していないと、正確な解答が難しい。

▶▶▶ 解答・解説 ◀◀◀

ア：連絡　イ：請負人　ウ：調整

安全衛生責任者は、下請業者の中に配置する人物です。勘違いしないように、把握しましょう。例題文中の「当該請負人」とは、安全衛生責任者が所属する下請を指します。
もし不安な場合には、1次検定編を復習しておきましょう。

根拠法令等

労働安全衛生規則
（安全衛生責任者の職務）
第19条
法第16条第1項の厚生労働省令で定める事項は、次のとおりとする。
1 統括安全衛生責任者との連絡
2 統括安全衛生責任者から連絡を受けた事項の関係者への連絡
3 前号の統括安全衛生責任者からの連絡に係る事項のうち当該請負人に係るものの実施についての管理
〔中略〕
6 当該請負人がその仕事の一部を他の請負人に請け負わせている場合における、当該他の請負人の安全衛生責任者との作業間の連絡および調整

8-2 労働安全衛生法令③ [職長教育]

演習問題 「労働安全衛生法」に定められている職長教育に関する次の文章において、□に当てはまる語句を答えなさい。

事業者は、その事業場が建設業に該当するときは、新たに職務につくこととなった職長その他の作業中の労働者を直接[ア]又は[イ]する者（作業主任者を除く。）に対し、次の事項について、厚生労働省令で定めるところにより、安全又は衛生のための教育を行わなければならない。

1 作業方法の決定及び労働者の配置に関すること
2 労働者に対する[ア]又は[イ]の方法に関すること
3 前2号に掲げるもののほか、[ウ]を防止するため必要な事項で、厚生労働省令で定めるもの

（労働安全衛生法 第60条）

1級対策は、以下の語句群を見ずに解答できるようにしたい。2級は、語句群から選択せよ。

・指導 ・指揮 ・教育 ・監督 ・労働災害 ・人的災害

ポイント▶ 安全または衛生のための教育は、作業者に対するものが主に注目されやすい。しかし、監督者に対する教育ももちろん存在する。これらが法制度上でどのように定められているか、確認しておきたい。

▶▶▶ 解答・解説 ◀◀◀

ア：指導　イ：監督　ウ：労働災害

ア（指導）とイ（監督）は逆であっても、意味の上では間違いではありません。条文を正確に暗記する必要はありませんが、監理技術者（2級は主任技術者）になる立場としては、この順番で覚えておいたほうが好ましいです。

根拠法令等

労働安全衛生法
（安全衛生教育）
第60条 事業者は、その事業場の業種が政令で定めるものに該当するときは、新たに職務につくこととなった職長その他の作業中の労働者を直接指導又は監督する者（作業主任者を除く。）に対し、次の事項について、厚生労働省令で定めるところにより、安全又は衛生のための教育を行なわなければならない。
1 作業方法の決定及び労働者の配置に関すること。
2 労働者に対する指導又は監督の方法に関すること。
3 前2号に掲げるもののほか、労働災害を防止するため必要な事項で、厚生労働省令で定めるもの

労働安全衛生法令④［雇い入れ時の定め］

演習問題 「労働安全衛生法」に定められている以下の法文において、□に当てはまる語句を答えなさい。

［ア］は、労働者を雇い入れたときは、当該労働者に対し、厚生労働省令で定めるところにより、その従事する業務に関する安全又は［イ］のための［ウ］を行わなければならない。

（労働安全衛生法　第59条）

1級対策は、以下の語句群を見ずに解答できるようにしたい。2級は、語句群から選択せよ。

・衛生　・聴取　・事業者　・現場代理人　・教育　・労働災害

ポイント▶ 職長や監理技術者等の監督者に対するものと違い、こちらは作業者に対する定めである。作業者を雇い入れた際に、誰がどういった義務を負うのか、基礎的な問題であるためしっかりとおさえておきたい。

▶▶▶ 解答・解説 ◀◀◀

ア：事業者　イ：衛生　ウ：教育

非常に基本的な問題になります。仮にこのような設問になっていなくても、当然に知っていなければならないレベルの条文です。演習問題の本文中の「安全」の箇所が空欄にされても、同じように解答できるようにしておきましょう。

事業者とは、簡単に表現すると会社側という意味です。その会社内の「誰が」という部分までは指定されていません。一般的な法解釈では経営者（つまり社長）に義務が発生しますが、実際には当該の従業員の上司がこれに相当すると考えられます。

根拠法令等

労働安全衛生法

（安全衛生教育）

第59条　事業者は、労働者を雇い入れたときは、当該労働者に対し、厚生労働省令で定めるところにより、その従事する業務に関する安全又は衛生のための教育を行なわなければならない。

2　前項の規定は、労働者の作業内容を変更したときについて準用する。

3　事業者は、危険又は有害な業務で、厚生労働省令で定めるものに労働者をつかせるときは、厚生労働省令で定めるところにより、当該業務に関する安全又は衛生のための特別の教育を行なわなければならない。

8-2 ▶労働安全衛生法令⑤［高所からの投下］

労働安全衛生法の関係諸法令に関する次の文章において、□に当てはまる語句を答えなさい。

事業者は、高さが ア 以上の高所から物体を イ するときは、適当な イ 設備を設け、ウ を置く等労働者の危険を防止するための措置を講じなければならない。

（労働安全衛生規則　第536条）

1級対策は、以下の語句群を見ずに解答できるようにしたい。2級は、語句群から選択せよ。

・3m　・昇降　・監視人　・2m　・投下　・保護フェンス

ポイント▶ 施工管理技術検定ではよく見られる、お馴染みの設問である。工事現場では、作業の残材や包装材等を上階から地上階へ向けて投げ落とすケースがある。この際の事故を防ぐための対策として、知っておくべき事項である。

▶▶▶ 解答・解説 ◀◀◀

ア：3m　イ：投下　ウ：監視人

選択肢の中に「昇降」とありますが、これは高さの差が1.5 mを超える作業箇所において設けるべき、「安全に昇降するための設備等」に関するもの（同規則第526条）です。余裕があれば学習しておきましょう。

このように数値が絡む設問は、しっかりと覚えておく必要があります。

3m以上では投下設備や監視人が必要

根拠法令等

労働安全衛生規則／第九章　墜落、飛来崩壊等による危険の防止
第2節　飛来崩壊災害による危険の防止

（高所からの物体投下による危険の防止）
第536条　事業者は、3m以上の高所から物体を投下するときは、適当な投下設備を設け、監視人を置く等労働者の危険を防止するための措置を講じなければならない。
2　労働者は、前項の規定による措置が講じられていないときは、3m以上の高所から物体を投下してはならない。

労働安全衛生法令⑥［安全・衛生管理］

演習問題 労働安全衛生法に定める次の各法文において、□に当てはまる語句を答えなさい。

事業者は、政令で定める規模の事業場ごとに、厚生労働省令で定めるところにより、総括安全衛生［ア］を選任し、その者に［イ］、衛生管理者又は第25条の2第2項の規定により技術的事項を管理する者の［ウ］をさせるとともに、次の業務を統括管理させなければならない。〔以下、第1号～第5号まで省略〕

（労働安全衛生法　第10条）

1級対策は、以下の語句群を見ずに解答できるようにしたい。2級は、語句群から選択せよ。

・管理者　・責任者　・指揮　・監督　・安全管理者　・安全衛生推進者

ポイント▶ 労働安全衛生法の中でも、代表的な設問である。監理技術者（2級は主任技術者）になる者は、当然に知っておかなければならない事項であり、これができないようでは恥ずかしいと思ってよい。必ずマスターすることが求められる。

▶▶▶ 解答・解説 ◀◀◀

ア：管理者　イ：安全管理者　ウ：指揮

掲題の「政令で定める規模」には段階があります。10人以上が稼働する全ての事業場には、安全衛生推進者の配置が必要です。50人以上の特定業種（建設業等）では、安全管理者と衛生管理者の配置が求められます。

さらに規模が大きくなり、100人以上となると、総括安全衛生管理者を配置しなければなりません。上記の設問は、この100人以上のケースとなります。

根拠法令等

労働安全衛生法／第三章　安全衛生管理体制

（総括安全衛生管理者）

第10条　事業者は、政令で定める規模の事業場ごとに、厚生労働省令で定めるところにより、総括安全衛生管理者を選任し、その者に安全管理者、衛生管理者又は第25条の2第2項の規定により技術的事項を管理する者の指揮をさせるとともに、次の業務を統括管理させなければならない。

1　労働者の危険又は健康障害を防止するための措置に関すること。
2　労働者の安全又は衛生のための教育の実施に関すること。
3　健康診断の実施その他健康の保持増進のための措置に関すること。
4　労働災害の原因の調査及び再発防止対策に関すること。
5　前各号に掲げるもののほか、労働災害を防止するため必要な業務で、厚生労働省令で定めるもの

8-3 労働基準法① ［未成年者の契約］

演習問題

「労働基準法」に定められている、未成年者の労働契約に関する次の記述において、□に当てはまる語句を答えなさい。

・ア または後見人は、未成年者に代って労働契約を締結してはならない
・ア もしくは後見人または行政官庁は、労働契約が未成年者に不利であると認める場合においては、イ に向ってこれを ウ することができる　（労働基準法　第58条）

1級対策は、以下の語句群を見ずに解答できるようにしたい。2級は、語句群から選択せよ。

・弁護士　・代理人　・保護者　・親権者　・解消　・解除　・将来　・未来

ポイント　少年は絶対的に若いがゆえに、人生経験も社会経験も極端に少ない。法令の把握も乏しいであろう。そのため、労働基準法では年少者を雇用するにあたっては、厳しい条件を設けている。これらを理解しておきたい。

解答・解説

ア：親権者　イ：将来　ウ：解除

親権者や後見人は、大人の都合で未成年者を働かせてはならないという、有名な条文です。逆に、既に労働している場合には、それを解除する権限は持っています。

このように、契約と解除とが対照になっていません。

根拠法令等

労働基準法
（未成年者の労働契約）
第58条
親権者または後見人は、未成年者に代って労働契約を締結してはならない。
2　親権者もしくは後見人または行政官庁は、労働契約が未成年者に不利であると認める場合においては、将来に向ってこれを解除することができる。

労働基準法② ［労働時間］

演習問題

「労働基準法」に定められている、労働時間に関する次の記述において、□に当てはまる語句を答えなさい。

・使用者は、労働者に、休憩時間を除き ア について イ を超えて、労働させてはならない
・使用者は、 ア の各日については、労働者に、休憩時間を除き ウ について エ を超えて、労働させてはならない

（労働基準法　第32条）

1級対策は、以下の語句群を見ずに解答できるようにしたい。2級は、語句群から選択せよ。

・1日　・1回の就労　・7日　・1週間　・7.5時間　・8時間　・40時間　・48時間

ポイント▶ 従事者の労働時間の管理は、重要な概念である。これは工事現場に限ったものではなく、公務員を除くあらゆる業種に適用される基本的なルールである。これを知らずに監督者を名乗るのは恥ずかしい。

▶▶▶ 解答・解説 ◀◀◀

ア：1週間　イ：40時間　ウ：1日　エ：8時間

1日の稼働時間の限度は、休憩時間を除いて原則的には8時間です。監督者は部下に対して、これを超える稼働をさせてはなりません。

次に、1週間の累計の稼働時間の限度は、40時間です。実態として多くの職場の例では、1日8時間の稼働で5日間勤務としているケースが多く、これで既に40時間に到達してしまいます。

根拠法令等

労働基準法
（労働時間）
第32条
使用者は、労働者に、休憩時間を除き1週間について40時間を超えて、労働させてはならない。
2 使用者は、1週間の各日については、労働者に、休憩時間を除き1日について8時間を超えて、労働させてはならない。

8-3 ▶労働基準法③［記録の保存］

演習問題 「労働基準法」に定められている、記録の保存に関する次の記述において、□に当てはまる語句を答えなさい。

使用者は、［ア］名簿、賃金台帳及び雇入、解雇、災害補償、［イ］その他労働関係に関する重要な書類を［ウ］間保存しなければならない。（労働基準法 第109条）

1級対策は、以下の語句群を見ずに解答できるようにしたい。2級は、語句群から選択せよ。

・労働者 ・作業者 ・賃金 ・給与 ・3年 ・5年

ポイント▶ 労働基準法に定められている、記録を保存するにあたっての条文である。保存すべき対象となる記録内容と、それをどれだけの期間保存しなければならないか、しっかりと理解したい。

▶▶▶ 解答・解説 ◀◀◀

ア：労働者　イ：賃金　ウ：3年

「労働者」でも「作業者」でも実態はそう変わりませんが、法令理解の設問は条文通りに解答しなければなりません。「賃金」と「給与」も同様です。また空欄の箇所を変えられても、答えられるようにしておきましょう。

根拠法令等

労働基準法／第十二章 雑則

（労働者名簿）

第107条 使用者は、各事業場ごとに労働者名簿を、各労働者（日日雇い入れられる者を除く。）について調製し、労働者の氏名、生年月日、履歴その他厚生労働省令で定める事項を記入しなければならない。

2 前項の規定により記入すべき事項に変更があつた場合においては、遅滞なく訂正しなければならない。

（賃金台帳）

第108条 使用者は、各事業場ごとに賃金台帳を調製し、賃金計算の基礎となる事項及び賃金の額その他厚生労働省令で定める事項を賃金支払の都度遅滞なく記入しなければならない。

（記録の保存）

第109条 使用者は、労働者名簿、賃金台帳及び雇入、解雇、災害補償、賃金その他労働関係に関する重要な書類を3年間保存しなければならない。

労働基準法④ [休憩]

演習問題

「労働基準法」に定められている、労働者の休憩に関する次の記述において、[ ]に当てはまる語句を答えなさい。

使用者は、労働時間が[ア]を超える場合においては少くとも[イ]、8時間を超える場合においては少くとも[ウ]の休憩時間を労働時間の途中に与えなければならない。

（労働基準法　第34条）

1級対策は、以下の語句群を見ずに解答できるようにしたい。2級は、語句群から選択せよ。

・30分　・45分　・50分　・1時間　・6時間　・7時間

ポイント▶ 労働基準法の中でも、常識の部類に含まれる設問である。これを知らないようでは、監督者として失格である。それくらい初歩的な問題であるので、苦手としている受験者は早目の克服が必要となる。

▶▶▶ 解答・解説 ◀◀◀

ア：6時間　イ：45分　ウ：1時間

数字が絡む問題は、苦手意識を持つ人も多いかもしれません。「6時間－45分」と「8時間－1時間」という組み合わせで、しっかりと覚えましょう。

この数値は建設現場に限らず、人を雇う全ての職場に適用されるものです。次の第35条の「休日」と合わせて、部下を持つ立場となったら、必ずおさえておきましょう。

根拠法令等

労働基準法／第四章　労働時間、休憩、休日及び年次有給休暇

（休憩）

第34条　使用者は、労働時間が6時間を超える場合においては少くとも45分、8時間を超える場合においては少くとも1時間の休憩時間を労働時間の途中に与えなければならない。

2　前項の休憩時間は、一斉に与えなければならない。ただし、当該事業場に、労働者の過半数で組織する労働組合がある場合においてはその労働組合、労働者の過半数で組織する労働組合がない場合においては労働者の過半数を代表する者との書面による協定があるときは、この限りでない。

3　使用者は、第1項の休憩時間を自由に利用させなければならない。

8-3 ▶労働基準法⑤ ［賠償予定の禁止］

演習問題
「労働基準法」に定められている、賠償予定の禁止に関する次の記述において、□に当てはまる語句を答えなさい。

使用者は、ア の不履行について イ を定め、又は ウ を予定する契約をしてはならない。

（労働基準法　第16条）

1級対策は、以下の語句群を見ずに解答できるようにしたい。2級は、語句群から選択せよ。

・作業計画　・労働契約　・賠償金　・違約金　・返還金額　・損害賠償額

ポイント▶ 労働基準法の中では、忘れられがちな条文である。しかし経営側にとっては、場合によっては命取りになりかねないため、注意が必要である。就業規則等に記載されているだけで、労働者との契約と解釈されるケースがある。

▶▶▶ 解答・解説 ◀◀◀

ア：労働契約　イ：違約金　ウ：損害賠償額

難しい表現の条文ですが、ここで謳われている内容の事例としては、
・2週間で完成しなければ、その期間の賃金を2割減額するものとする
・〇〇手当を支給するが、1年以内に退職した場合は返還するものとする
といった、企業側が労働者に一方的に押し付ける悪質な契約のことで、これらは全て違法なものです。仮に労働者の同意を得た場合でも、これらの契約は無効になります。

根拠法令等

労働基準法／第二章　労働契約
（労働条件の明示）
第15条　使用者は、労働契約の締結に際し、労働者に対して賃金、労働時間その他の労働条件を明示しなければならない。この場合において、賃金及び労働時間に関する事項その他の厚生労働省令で定める事項については、厚生労働省令で定める方法により明示しなければならない。
〔中略〕

（賠償予定の禁止）
第16条　使用者は、労働契約の不履行について違約金を定め、又は損害賠償額を予定する契約をしてはならない。

労働基準法⑥ [年少者の就労]

演習問題 「労働基準法」及び関係法令である「年少者労働基準規則」に定められている、年少者の就労に関する次の記述において、[ ]に当てはまる語句を答えなさい。

使用者は、満[ア]歳以上満[イ]歳未満の男性を30kg以上の重量物を[ウ]に取り扱う業務に就かせてはならない。 (労働基準法 第62条 第1項) (年少者労働基準規則 第7条)

1級対策は、以下の語句群を見ずに解答できるようにしたい。2級は、語句群から選択せよ。

・16 ・17 ・18 ・19 ・断続的 ・継続的

ポイント▶ 労働基準法では、年少者を危険有害業務から保護している。例として設問のように、重量物の取り扱いを制限する条文がある。これらは男女別、そして具体的な年齢ごとに扱わせてよい重量が定められている。

▶▶▶ 解答・解説 ◀◀◀

ア:16 イ:18 ウ:断続的

男女別、および年齢ごとの扱わせてよい重量区分は、下表を参照してください。ここで誤解を招きやすい区分として、「断続作業」と「継続作業」とがあります。設問の本文でどちらが問われているのか、しっかりと見極めをしましょう。

30kgを制限の境に設定しているのは、満16歳以上～満18歳未満の男性であって、断続作業の場合です。しかし実際に30kgもの物体を持ち上げるとなると、かなり困難であることが連想できます。

根拠法令等

年少者労働基準規則

(重量物を取り扱う業務)

第7条 法第62条第1項の厚生労働省令で定める重量物を取り扱う業務は、次の表の上欄に掲げる年齢及び性の区分に応じ、それぞれ同表の下欄に掲げる重量以上の重量物を取り扱う業務とする。

		重量(kg)	
		断続作業	継続作業
満16歳未満	女	12	8
	男	15	10
満16歳以上～満18歳未満	女	25	15
	男	30	20

8-4 電波法令① [電波の質]

演習問題 「電波法」に定められている、無線設備の電波の質に関する次の記述において、□に当てはまる語句を答えなさい。

送信設備に使用する電波の周波数の ア および イ 、 ウ の強度等電波の質は、総務省令で定めるところに適合するものでなければならない。 （電波法　第28条）

1級対策は、以下の語句群を見ずに解答できるようにしたい。2級は、語句群から選択せよ。

・偏差　・精度　・数　・幅　・指向性　・高調波　・妨害波　・雑音

ポイント▶ 無線通信は有線の場合と違って、空間という1つの巨大な伝送路を多数のユーザで共有する仕組みである。そのため、他の通信と区別する手段である周波数は、よりシビアな質の管理が要求される。

▶▶▶ 解答・解説 ◀◀◀

ア：偏差　イ：幅　ウ：高調波

アの「偏差」と、イの「幅」は、順序が逆でも意味は通じます。しかし検定対策としては条文と同様に、上に示した順序で覚えておきましょう。

周波数の偏差とは難しい表現ですが、免許された周波数の基準値からのズレのことです。これが許容値を超えてしまうと、隣の周波数を使用する他の通信と、混信を発生させる原因になってしまいます。

根拠法令等

電波法
（電波の質）
第28条
送信設備に使用する電波の周波数の偏差および幅、高調波の強度等電波の質は、総務省令で定めるところに適合するものでなければならない。

電波法令② [免許の申請]

2級は特に注目

演習問題 「電波法」に定められている、免許の申請に関する次の記述において、□に当てはまる語句を答えなさい。

無線局の免許を受けようとする者は、申請書に、次に掲げる事項を記載した書類を添えて、総務大臣に提出しなければならない。

・電波の ア ならびに希望する周波数の イ および ウ 電力

・希望する運用許容 エ

(電波法　第6条)

1級対策は、以下の語句群を見ずに解答できるようにしたい。2級は、語句群から選択せよ。

・種類　・波長　・送信　・地域　・型式　・範囲　・空中線　・時間

ポイント 無線に関係する免許は、無線従事者免許と無線局免許の2種類がある。同じ「免許」という言い回しではあるが、両者は全く性質が異なる。

解答・解説

ア：型式　イ：範囲　ウ：空中線　エ：時間

無線関係ではお馴染みの条文です。無線の実務にあまり慣れていない人は、「空中線」との表現に違和感を抱くかもしれません。丁寧に覚えておきましょう。

根拠法令等

電波法

(免許の申請)

第6条

無線局の免許を受けようとする者は、申請書に、次に掲げる事項を記載した書類を添えて、総務大臣に提出しなければならない。

1 目的

2 開設を必要とする理由

3 通信の相手方および通信事項

4 無線設備の設置場所

〔中略〕

5 電波の型式ならびに希望する周波数の範囲および空中線電力

6 希望する運用許容時間

7 無線設備の工事設計および工事落成の予定期日

8 運用開始の予定期日

〔以下略〕

8-4 ▶電波法令③［秘密の保護］

演習問題 「電波法」に定められている、秘密の保護に関する次の記述において、□に当てはまる語句を答えなさい。

何人も法律に別段の定めがある場合を除くほか、［ア］の相手方に対して行われる無線通信を［イ］してその［ウ］若しくは内容を漏らし、又はこれを窃用してはならない。

（電波法　第59条）

1級対策は、以下の語句群を見ずに解答できるようにしたい。2級は、語句群から選択せよ。

・存在　・発信者　・特定　・不特定　・傍受　・盗聴

ポイント▶ 電波法の中でも最も重要といわれる条文が、この第59条である。いわゆる秘密の保護に関するものであるが、無線従事者免許証の裏面にも掲示されるほど、重要な項目である。無線屋であれば当然に暗記していてしかりである。

▶▶▶ 解答・解説 ◀◀◀

ア：特定　イ：傍受　ウ：存在

この条文の対象となる通信は、あくまで「特定の相手方」に対するもののみです。テレビジョン放送やラジオ放送等の「不特定の相手方」に対する通信は対象外となります。本職の無線屋は無論のこと、有線が専門の人であっても知っておいたほうがよい項目です。

これら秘密の保護に違反した者に対する罰則規定は、同法の第109条にて規定されていますから、余裕があればこの罰則規定も含めてマスターしておきましょう。

根拠法令等

電波法／第五章　運用／第一節　通則

（秘密の保護）

第59条　何人も法律に別段の定めがある場合を除くほか、特定の相手方に対して行われる無線通信を傍受してその存在若しくは内容を漏らし、又はこれを窃用してはならない。

電波法令④［空中線等の保安施設］

演習問題 「電波法施行規則」に定められている、無線設備の空中線等の保安施設に関する次の記述において、□に当てはまる語句を答えなさい。

無線設備の空中線系には［ア］又は接地装置を、また、［イ］には接地装置をそれぞれ設けなければならない。ただし、26.175MHz を超える周波数を使用する無線局の無線設備、及び［ウ］、又は携帯局の無線設備の空中線については、この限りでない。

（電波法施行規則　第26条）

1級対策は、以下の語句群を見ずに解答できるようにしたい。2級は、語句群から選択せよ。

・カウンターポイズ　・給電線　・避雷器　・避雷針　・陸上移動局　・基地局

ポイント 一般に空中線は高い場所に設置されるケースが多いため、落雷の被害を受けやすい。特に直撃雷に対しては、精度の高い対策と設計が求められる。

解答・解説

ア：避雷器　イ：カウンターポイズ　ウ：陸上移動局

空中線とは無線技術の専門用語で、アンテナを意味します。これらアンテナには、雷害対策のために避雷器や接地装置を設けなければなりません。直撃雷による災害はもとより、近傍での落雷によって生じるサージ電流にも、対策が必要となります。

なお、移動局や携帯局等はその性質上、接地をとることが難しいため、省略してもよいことになっています。

根拠法令等

電波法施行規則
第二章　無線局
第三節　安全施設
（空中線等の保安施設）
第26条　無線設備の空中線系には避雷器又は接地装置を、また、カウンターポイズには接地装置をそれぞれ設けなければならない。ただし、26.175MHz を超える周波数を使用する無線局の無線設備、及び陸上移動局、又は携帯局の無線設備の空中線については、この限りでない。

8-4 電波法令⑤［電波の強度に対する安全施設］

演習問題 「電波法施行規則」に定められている、電波の強度に対する安全施設に関する次の記述において、[ ]に当てはまる語句を答えなさい。

無線設備には、当該[ア]から発射される電波の強度が別表第２号の３の２に定める値を超える場所（人が通常、集合し、通行し、その他出入りする場所に限る。）に[イ]のほか容易に出入りすることができないように、[ウ]をしなければならない。ただし、次の各号に掲げる無線局の無線設備については、この限りではない。〔以下略〕（電波法施行規則　第21条の３）

１級対策は、以下の語句群を見ずに解答できるようにしたい。２級は、語句群から選択せよ。

・無線従事者　・取扱者　・無線設備　・送信装置　・施錠　・施設

ポイント 電波法施行規則の中では、よく目にする条文である。電波は人体に影響を与える場合があるため、強い電波を発する場合には、一般人がみだりに接近しないような対策を施さなければならない。

解答・解説

ア：無線設備　イ：取扱者　ウ：施設

この条文で謳われている出入り可能な人物は、当該無線設備の関係者であることは説明するまでもありません。しかし選択肢には、「無線従事者」と「取扱者」とが与えられています。これらはどう違うのでしょうか。

無線従事者は国家試験に合格して、総務大臣より無線従事者免許を受けている有資格者です。一方の取扱者は公的な資格ではなく、単に「関係者」に近い意味と解釈できます。この条文では「取扱者」でよいことから、特に有資格者でなくても立入りは可能と理解できます。

根拠法令等

電波法施行規則／第二章　無線局／第三節　安全施設

（電波の強度に対する安全施設）

第21条の３　無線設備には、当該無線設備から発射される電波の強度が別表第２号の３の２に定める値を超える場所（人が通常、集合し、通行し、その他出入りする場所に限る。）に取扱者のほか容易に出入りすることができないように、施設をしなければならない。ただし、次の各号に掲げる無線局の無線設備については、この限りではない。

〔以下略〕

電波法令⑥［高圧電気に対する安全施設］

演習問題

「電波法施行規則」に定められている、電波の強度に対する安全施設に関する次の記述において、□に当てはまる語句を答えなさい。

高圧電気（高周波若しくは交流の電圧［ア］V又は直流の電圧750Vをこえる電気をいう。以下同じ。）を使用する電動発電機、変圧器、ろ波器、整流器その他の機器は、外部より容易にふれることができないように、絶縁遮蔽体又は［イ］された金属遮蔽体の内に収容しなければならない。但し、［ウ］のほか出入できないように設備した場所に装置する場合は、この限りでない

（電波法施行規則　第22条）

1級対策は、以下の語句群を見ずに解答できるようにしたい。2級は、語句群から選択せよ。

・300　・600　・接地　・隔離　・無線従事者　・取扱者

ポイント▶ この条文は、電波法施行規則の中では比較的ポピュラーである。高圧電気は人体に強い影響を与えるため、一般人がみだりに接近しないような対策が要求される。本問はこれらの対策についての設問である。

▶▶▶ 解答・解説 ◀◀◀

ア：300　イ：接地　ウ：取扱者

この条文は電波法関係法令ではありますが、よく読むと、内容は必ずしも無線設備に限定したものではありません。そのため出入り可能な人物は、有資格者である無線従事者のみとするには違和感があります。

したがって、一般論としての「関係者」である、取扱者が適当と判断できます。

根拠法令等

電波法施行規則／第二章　無線局／第三節　安全施設

（高圧電気に対する安全施設）

第22条　高圧電気（高周波若しくは交流の電圧300V又は直流の電圧750Vをこえる電気をいう。以下同じ。）を使用する電動発電機、変圧器、ろ波器、整流器その他の機器は、外部より容易にふれることができないように、絶縁遮蔽体又は接地された金属遮蔽体の内に収容しなければならない。但し、取扱者のほか出入できないように設備した場所に装置する場合は、この限りでない。

8-5 端末設備等規則① [配線設備の安全性]

「端末設備等規則」に定められている、安全性等における配線設備に関する次の記述において、[　]に当てはまる語句を答えなさい。

配線設備等の評価雑音電力（通信回線が受ける妨害であって人間の聴覚率を考慮して定められる実効的雑音電力をいい、誘導によるものを含む。）は、[ア]レベルで表した値で定常時において[イ]デシベル以下であり、かつ、最大時において[ウ]デシベル以下であること。

（端末設備等規則　第8条）

1級対策は、以下の語句群を見ずに解答できるようにしたい。2級は、語句群から選択せよ。

・絶対　・相対　・＋58　・－58　・＋64　・－64

ポイント▶ 端末設備等規則は電気通信事業法の関係法令であり、電気通信設備に関しての技術基準を定めるためのものである。具体的には事業者とユーザ間の責任の分界点を明確にしたり、端末設備の安全性等を定義したりしている。

▶▶▶ 解答・解説 ◀◀◀

ア：絶対　イ：－64　ウ：－58

雑音電力は電気通信回線に乗っているさまざまな成分のうち、信号としての価値を持たない電力の総称です。なるべく低い値とするに越したことはありませんが、同規則によって上限値が決められています。

1倍が0デシベルですから、絶対レベルでマイナス値とは1より小さい値をとることを意味します。参考までに、定常時における規定値である－64デシベルは、約0.5μWとなります。

根拠法令等

端末設備等規則／第三章　安全性等

（配線設備等）

第8条　利用者が端末設備を事業用電気通信設備に接続する際に使用する線路及び保安器その他の機器（以下「配線設備等」という。）は、次の各号により設置されなければならない。

1　配線設備等の評価雑音電力（通信回線が受ける妨害であって人間の聴覚率を考慮して定められる実効的雑音電力をいい、誘導によるものを含む。）は、絶対レベルで表した値で定常時において－64デシベル以下であり、かつ、最大時において－58デシベル以下であること。

〔以下略〕

端末設備等規則② [直流回路の条件]

演習問題 「端末設備等規則」に定められている、アナログ電話端末の直流回路の電気的条件に関する次の記述において、□に当てはまる語句を答えなさい。

直流回路の直流抵抗値は、ア mA以上120mA以下の電流で測定した値で イ Ω以上300Ω以下であること。ただし、直流回路の直流抵抗値と電気通信事業者の ウ 設備からアナログ電話端末までの線路の直流抵抗値の和が50Ω以上1,700Ω以下の場合にあっては、この限りでない。

（端末設備等規則 第13条）

1級対策は、以下の語句群を見ずに解答できるようにしたい。2級は、語句群から選択せよ。

・20 ・30 ・40 ・50 ・送信 ・交換

ポイント 直流回路はアナログ電話回線において、交換設備の動作の開始および終了の制御を行うための回路である。発信または応答のときに閉じ（回路がON）、通信が終了したときに開く（OFF）ことによって、その事実を伝達する仕組みである。

解答・解説

ア：20 イ：50 ウ：交換

アナログ電話端末の直流回路は、端末設備等規則によってその電気的な条件が定められています。ここでは線路の抵抗値と静電容量とが、各種条件によって具体的に規定されています。

本設問では求められていませんが、この他の電気的条件としては、送出電力や漏話減衰量があります。

根拠法令等

端末設備等規則／第四章 電話用設備に接続される端末設備／第一節 アナログ電話端末

（直流回路の電気的条件等）

第13条 直流回路を閉じているときのアナログ電話端末の直流回路の電気的条件は、次のとおりでなければならない。

1 直流回路の直流抵抗値は、20mA以上120mA以下の電流で測定した値で50Ω以上300Ω以下であること。ただし、直流回路の直流抵抗値と電気通信事業者の交換設備からアナログ電話端末までの線路の直流抵抗値の和が50Ω以上1,700Ω以下の場合にあっては、この限りでない。

2 ダイヤルパルスによる選択信号送出時における直流回路の静電容量は、3μF以下であること。

8-6 有線電気通信設備令①［回線の電圧・電力］

演習問題 「有線電気通信設備令」に定められている、線路の電圧および通信回線の電力に関する次の記述において、□に当てはまる語句を答えなさい。

通信回線の線路の電圧は、［ア］V以下でなければならない。ただし、電線としてケーブルのみを使用するとき、又は人体に危害を及ぼし、若しくは物件に損傷を与えるおそれがないときは、この限りでない。
通信回線の電力は、［イ］で表わした値で、その周波数が音声周波であるときは、プラス［ウ］dB以下、高周波であるときは、プラス［エ］dB以下でなければならない。ただし、総務省令で定める場合は、この限りでない。（有線電気通信設備令　第4条）

1級対策は、以下の語句群を見ずに解答できるようにしたい。2級は、語句群から選択せよ。

・10　・20　・50　・100　・150　・200　・絶対レベル　・相対レベル

ポイント▶ 通信回線の電圧や電力は、法令によって具体的な上限値が定められている。これは感電事故の防止や、周囲環境への電磁誘導障害の軽減等が目的である。

▶▶▶ 解答・解説 ◀◀◀

ア：100　イ：絶対レベル　ウ：10　エ：20

この例題のように、数字が絡む問題は厄介です。1つずつ丁寧に理解しながら、確実に覚えていきましょう。また、穴の位置が変わっても対処できるように、全体をストーリーとして把握するように努めましょう。

根拠法令等

有線電気通信設備令
（線路の電圧及び通信回線の電力）
第4条　通信回線の線路の電圧は、100ボルト以下でなければならない。ただし、電線としてケーブルのみを使用するとき、又は人体に危害を及ぼし、若しくは物件に損傷を与えるおそれがないときは、この限りでない。

2　通信回線の電力は、絶対レベルで表わした値で、その周波数が音声周波であるときは、プラス10デシベル以下、高周波であるときは、プラス20デシベル以下でなければならない。ただし、総務省令で定める場合は、この限りでない。

有線電気通信設備令② [架空線の離隔]

演習問題 「有線電気通信設備令」に定められている、架空電線と他人の設置した架空電線等との関係に関する次の記述において、[ ]に当てはまる語句を答えなさい。

架空電線は、他人の設置した架空電線との離隔距離が [ア] cm [イ] となるように設置してはならない。ただし、その他人の承諾を得たとき、又は設置しようとする架空電線が、その他人の設置した架空電線に係る作業に支障を及ぼさず、かつ、その他人の設置した架空電線に [ウ] 場合として総務省令で定めるときは、この限りでない。

（有線電気通信設備令　第9条）

1級対策は、以下の語句群を見ずに解答できるようにしたい。2級は、語句群から選択せよ。

・30　・40　・50　・未満　・以下　・接触しない　・損傷を与えない

ポイント▶ 架空電線を施設する際の離隔距離は、法令によって具体的な下限値が定められている。

▶▶▶ 解答・解説 ◀◀◀

ア：30　イ：以下　ウ：損傷を与えない

他人が設置した架空電線と近接する場合には、強風等によって電線どうしが接触する懸念があります。そのため、互いに30cmを超えるように施設しなければなりません。

30cm丁度ではNGとなります。

根拠法令等

有線電気通信設備令

（架空電線と他人の設置した架空電線等との関係）

第9条　架空電線は、他人の設置した架空電線との離隔距離が30センチメートル以下となるように設置してはならない。ただし、その他人の承諾を得たとき、又は設置しようとする架空電線（これに係る中継器その他の機器を含む。）が、その他人の設置した架空電線に係る作業に支障を及ぼさず、かつ、その他人の設置した架空電線に損傷を与えない場合として総務省令で定めるときは、この限りでない。

他人の架空配線と近接する例

● 索引・INDEX ●

数字・アルファベット

ア行

カ行

サ行

タ行

ナ行

ハ行

マ行

ヤ行

ラ行

ワ行

■ 著者略歴

高橋 英樹（たかはしひでき）

昭和 47 年 神奈川県生まれ　産業能率大学大学院 修士課程修了　主に電気、電気通信工事における設計、設計監理、施工管理。土木工事の設計、設計監理。鉄道向け列車運行保安装置のソフト開発。
現在は、技術資格スクール「のぞみテクノロジー」取締役。
（のぞみテクノロジー　神奈川県川崎市中原区木月 1-32-3 内田ビル 2 階　https://www.nozomi.pw/）

〈保有資格〉

経営管理修士 MBA
施工管理技士（1 級電気通信工事、1 級電気工事、2 級土木）
情報処理安全確保支援士
情報セキュリティスペシャリスト
教育職員免許（高等学校、中学校）
職業訓練指導員免許（電子科）
無線従事者免許（一陸技、一海通、航空通、一アマ）
電気通信主任技術者（伝送交換、線路）
電気通信設備工事担任者（AI・DD 総合種）
第三種電気主任技術者
第二種電気工事士
第一種衛生管理者
ネオン工事技術者
建設業経理士 2 級
動力車操縦者運転免許
航空従事者航空通信士
防災士
ほか多数

■ 制作スタッフ

- 装　丁：田中　望
- 編　集：大野　彰
- 作図＆ DTP：株式会社オリーブグリーン

2024 年版（ねんばん）
電気通信工事施工管理技士（でんきつうしんこうじせこうかんりぎし）
突破攻略（とっぱこうりゃく）　1 級 2 級第 2 次検定（いっきゅうにきゅうだいにじけんてい）

2024 年 8 月 10 日　初版　第 1 刷発行

著　者　高橋 英樹
発行者　片岡　巌
発行所　株式会社技術評論社
東京都新宿区市谷左内町 21-13
電話　03-3513-6150　販売促進部
03-3267-2270　書籍編集部
印刷／製本　株式会社加藤文明社

定価はカバーに表示してあります。

ISBN 978-4-297-14248-3 C3054
Printed in Japan

本書の内容に関するご質問は、下記の宛先まで書面にてお送りください。お電話によるご質問及び本書に記載されている内容以外のご質問には、お答えできません。あらかじめご了承ください。
〒 162-0846
新宿区市谷左内町 21-13
株式会社技術評論社 書籍編集部
「電気通信工事施工管理技士
突破攻略　1 級 2 級第 2 次検定」係
FAX：03-3267-2271